Dans la même série

Celtina, La Terre des Promesses, roman, 2006.

Celtina, Les Treize Trésors de Celtie, roman, 2006.

Celtina, L'Épée de Nuada, roman, 2006.

Celtina, La Lance de Lug, roman, 2007.

Celtina, Les Fils de Milé, roman, 2007.

Celtina, Le Chaudron de Dagda, roman, 2007.

Celtina, La Chaussée des Géants, roman, 2008.

Jeunesse

Les pièces d'or de Nicolas Flamel, série Phoenix, détective du Temps, Montréal, Trécarré, 2007.

Le sourire de la Joconde, série Phoenix, détective du temps, Montréal, Trécarré, 2006.

Le Concours Top-Model, Montréal, Trécarré, coll. « Intime », 2005.

L'amour à mort, Montréal, SMBi, coll. « SOS », 1997.

La falaise aux trésors, Montréal, SMBi, coll. « Aventures & Cie », 1997.

Une étrange disparition, Montréal, SMBi, coll. « Aventures & Cie », 1997.

Miss Catastrophe, Montréal, Le Raton Laveur, 1993.

Adultes

Verglas (avec Normand Lester), Montréal, Libre Expression, 2006.

Quand je serai grand, je serai guéri! (avec Pierre Bruneau), Montréal, Publistar, 2005.

Chimères (avec Normand Lester), Montréal, Libre Expression, 2002.

CORINNE DE VAILLY

CELTINA
LA MAGIE DES OGHAMS

LES ●NTOUCHABLES

Les Éditions des Intouchables bénéficient du soutien financier de la SODEC et du Programme de crédits d'impôt du gouvernement du Québec.

Nous remercions le Conseil des Arts du Canada de l'aide accordée à notre programme de publication.

Nous reconnaissons l'aide financière du gouvernement du Canada par l'entremise du Programme d'aide au développement de l'industrie de l'édition (PADIÉ) pour nos activités d'édition.

LES ÉDITIONS DES INTOUCHABLES
4701, rue Saint-Denis
Montréal, Québec
H2J 2L5
Téléphone: 514-526-0770
Télécopieur: 514-529-7780
www.lesintouchables.com

DISTRIBUTION: PROLOGUE
1650, boulevard Lionel-Bertrand
Boisbriand, Québec
J7H 1N7
Téléphone: 450-434-0306
Télécopieur: 450-434-2627

Impression: Transcontinental
Illustration de la couverture: Boris Stoilov
Conception de la couverture et logo: Benoît Desroches
Infographie: Geneviève Nadeau

Dépôt légal: 2008
Bibliothèque et Archives nationales du Québec
Bibliothèque nationale du Canada

ISBN: 978-2-89549-327-3

Chapitre 1

La longue plainte d'une corne dévala en écho les pentes de la montagne et vint mourir dans le castrexo*, le village fortifié des Artabros, en Kallaikoi. Puis, comme descendus des cieux, d'autres chants de cors lui répondirent, courant entre les rochers, sifflant dans les failles, se frayant un passage dans les grottes, rebondissant dans les cascades. Le vacarme était surprenant, mais aussi un peu effrayant.

Celtina leva les yeux au ciel; il était obscur et grave, laissant présager un terrible orage. Elle remarqua des points sombres se déplaçant en formation en V, remontant vers le nord en dessinant des signes inconnus entre les nuages. Elle courba la tête et se hâta vers Briga. Elle voulait arriver avant la nuit, car elle connaissait mal la région, et ces signes la mettaient mal à l'aise.

Même en étant placée sous le signe du héron, emblème de son clan, la jeune prêtresse redoutait la présence des échassiers, symboles de mort. Elle sentit la chair de poule hérisser les poils de ses bras. Ce passage de grues qui remontaient vers le nord pour la belle saison pouvait-il n'être qu'un leurre*? N'était-ce pas plutôt une manifestation de l'Autre Monde? Arawn, le maître des morts du Síd, monté sur son pâle destrier, escorté de ses chiens blancs aux oreilles rouges et de ses grues, avait la réputation de voler dans les cieux en chassant devant lui l'âme des défunts. Était-ce lui qui venait ainsi perturber la vie paisible des habitants des Côtes de la Mort? Venait-il procéder à sa dernière récolte macabre avant que les feux de Beltaine ne ramènent la lumière des jours d'été sur le monde des Celtes?

Elle secoua la tête pour chasser cette pensée. C'était impossible. La chasse sauvage des guerriers célestes poursuivant les âmes des revenants en traversant le ciel au son d'étranges musiques était toujours une manifestation nocturne. Il est vrai qu'en cette fin de journée, alors que Grannus allait se coucher, le ciel était déjà noir et menaçant, mais elle tenta de se raisonner. Ce ne pouvait être Arawn... Du moins, elle l'espérait.

Elle frissonna lorsque le cor émit une nouvelle plainte: elle lui trouva une ressemblance frappante avec le brame du cerf, l'appel de Cernunos, le dieu tricéphale* cornu toujours accompagné d'un serpent à tête de bélier. Que voulaient donc les dieux? Était-ce un signe à son intention? Voulait-on la prévenir d'un quelconque danger? Pourquoi ne se manifestaient-ils pas en personne, puisqu'elle avait la capacité de les voir? Étaient-ils en colère parce que, pendant un moment, elle avait perdu de vue les talismans des Tribus de Dana que Nuada, Lug et Dagda lui avaient confiés? Elle s'arrêta et scruta attentivement les alentours. Elle n'y distingua rien de menaçant. Personne n'était tapi derrière les rochers; les hautes herbes frémissaient sous le vent et ne semblaient pas agitées par des hordes de guerriers prêts à se jeter sur elle.

Elle tourna une fois de plus son regard vers le ciel. Inconscientes du tourment dans lequel leur présence avait plongé la jeune prêtresse, les grues poursuivaient leur route, réveillant la nature au passage par leurs «kraah» durs et répétés, célébrant le triomphe de la vie nouvelle. Le tumulte envahit bientôt toutes les collines, où les cris des échassiers firent écho aux appels des cors.

Celtina avala sa salive, maudissant sa trop grande sensibilité et surtout son imagination galopante. Les airs ne bruissaient pas de poursuites d'animaux fantastiques chassant les esprits des morts devant eux; ce n'était qu'un vol d'oiseaux planant au-dessus des collines et s'en allant en direction de leurs lieux de nidification, en Gaule, et même au-delà, vers l'île de Bretagne, Kernow, Cymru, Ériu et la Calédonie. Elle inspira plusieurs fois profondément pour calmer les battements affolés de son cœur. Elle ne comprenait pas d'où lui venait cette peur qui l'avait envahie si soudainement, ce pressentiment d'une catastrophe que rien ne justifiait.

D'un pas qu'elle voulut un peu plus ferme, elle continua son chemin, descendant la montagne vers les maisons circulaires de pierres sèches aux toits surmontés de paille qu'elle voyait se profiler à ses pieds, presque à la verticale de sa position.

Soudain, elle se figea. Son cœur s'emballa. L'étrange impression déjà ressentie se fit plus insistante, faisant frissonner sa nuque. Le village ne semblait pas dans son état normal. Rien ne bougeait. Elle ne distingua aucun animal, aucun être humain, comme si toute vie avait disparu. Même la tour de Bréogan semblait désertée, pire, sans âme, isolée au bout des Côtes de la Mort, face à la mer, défiant Ériu, dont Celtina pouvait imaginer la silhouette perdue au loin dans le brouillard. L'air était empli de menaces qu'elle ne pouvait identifier.

Une corne lança une fois de plus son appel lugubre. *Que se passe-t-il donc ici?* Elle avança plus prudemment, redoublant d'attention, scrutant chaque rocher comme s'il pouvait servir de cachette à un ennemi invisible, mais dont, pourtant, elle ressentait la présence par tous les pores de sa peau.

Au fur et à mesure que ses pas la rapprochaient du castrexo, elle se forçait à se raisonner. Il n'y avait aucun danger immédiat. Pourtant, cette sensation oppressante de péril ne la quittait pas.

Lorsque, finalement, elle se retrouva au centre du village, la dévastation qu'il avait subie lui sauta au visage. Des poteries brisées, des monceaux de bois transformés en charbon par l'action du feu, des lames de glaives brisées, des huttes de pierres détruites, des vêtements tachés de sang séché éparpillés aux quatre vents, tout indiquait que Briga avait essuyé une attaque.

Courant de maison en maison, elle se mit à la recherche d'un indice qui lui permettrait d'espérer la présence de survivants. Avaient-ils tous étaient emmenés en captivité? Qui étaient les assaillants? Elle ne découvrit aucun cadavre; seuls les quelques crânes que les Artabros avaient pris à leurs ennemis se balançaient encore aux portes des maisons comme des fantômes savourant leur vengeance. Mais la plupart avaient chu sur le sol, piétinés sans respect.

Alors que, les larmes aux yeux, elle ressortait de ce qui avait été la maison de Breogán, le roi de Kallaikoi, elle entendit une fois encore le son plaintif de la corne, auquel une autre répondit plus loin, au sommet de la montagne. Elle s'accrocha aussitôt à un fol espoir: étaient-ce les Artabros qui communiquaient entre eux? Combien avaient survécu au drame?

Parce qu'il ne pouvait en être autrement : une tragédie avait frappé Briga, sinon les Artabros n'auraient pas abandonné leur capitale.

Debout au centre du village, elle tourna sur elle-même, tentant de deviner dans quelle direction se trouvaient les souffleurs de cors. Brusquement, elle perçut un hennissement, puis le claquement des sabots d'un cheval sur le granit… Un nom, un hurlement, gonfla sa gorge : « Malaen ! »

Le tarpan déboucha derrière les ruines d'une maison aux pierres noircies, qui semblait avoir été frappée par la foudre ; il agita ses longues oreilles. Elle reconnut aussitôt son toupet, sa tête lourde, son profil plat et écrasé ainsi que la raie sombre de son échine. C'était bien lui, son ami, le cheval magique que lui avait donné Épona, la déesse des Cavaliers et des Chevaux. Son cœur sauta dans sa poitrine et, balayant toute inquiétude, elle se précipita vers son ancien compagnon d'aventures et entoura son encolure de ses deux bras, blottissant son visage dans l'abondante crinière frémissante. Elle ne s'en était pas vraiment avisée jusqu'à cet instant, mais elle comprit dès ce moment combien son petit cheval lui avait manqué. Il était son seul véritable ami, son confident, son compagnon des bons et des mauvais jours. Le seul qui comprenait ses joies et ses peines et la difficulté de la quête pour laquelle les dieux l'avaient choisie.

– Que s'est-il passé, Malaen? Qui les a attaqués? Où sont les Artabros? Y a-t-il des survivants? Breogán?

– C'est une longue histoire, fit le cheval magique en pressant ses naseaux humides contre la joue de la jeune prêtresse. Je les ai emmenés dans les collines pour qu'ils se cachent dans les grottes. Viens avec moi!

Le cœur moins lourd d'apprendre qu'il y avait des survivants, Celtina s'élança entre les rochers à la suite de Malaen. Droit devant elle, la corne retentit, mais cette fois encore le son lui sembla plaintif. Le malaise ressenti plus tôt s'empara de nouveau de tout son être.

– Ça fait longtemps que les guetteurs artabros t'ont vue dans la montagne, lui expliqua le petit cheval. Ils communiquent de place en place par des signaux de fumée ou des jets de pierres lorsqu'ils repèrent des ennemis, mais c'est le son de la corne qui annonce la venue d'amis.

Malgré les paroles rassurantes de Malaen, Celtina était parcourue de frissons; ses bras, sa colonne vertébrale avaient la chair de poule, et sur sa nuque toujours cette sensation étrange qu'elle n'appréciait guère. Les collines résonnaient de bruits étranges qui la mettaient mal à l'aise. Même si elle eût aimé se réjouir à la pensée que les Artabros avaient survécu, quelque chose étouffait en elle tout sentiment de joie.

Elle venait de déboucher au sommet d'une butte par un sentier escarpé lorsqu'elle vit se dresser, droit devant elle, le roi de Kallaikoi. Seul, sur un rocher, il brandissait une torche enflammée. Elle pila net. Même si elle reconnaissait Breogán, elle hésita à faire un pas vers le chef des Artabros. Malaen l'avait distancée et se tenait maintenant tout près du roi. Elle l'entendit clairement s'adresser à des gens qu'elle ne pouvait voir, cachés par des amas de pierres.

Depuis quand Malaen parle-t-il en présence des Artabros? Pourquoi a-t-il dévoilé sa qualité de cheval de l'Autre Monde? Il se passe des choses bizarres, ici! songea-t-elle sans oser faire un pas.

Un mouvement derrière Breogán attira son attention. Elle plissa les yeux pour mieux voir, car le soir était maintenant complètement tombé. La torche brandie par le roi faisait danser des halos orangés sur les rochers noirs. Elle remarqua alors qu'une série de torches semblait sortir d'une grotte. Elle concentra son attention pour mieux distinguer ceux qui les portaient. Tout à coup, elle recula d'un pas, manquant perdre pied. Elle ne pouvait croire ce que ses yeux lui révélaient. Vers elle enflait une file de personnages recouverts de la tête aux pieds d'un linceul blanc, aux visages grimés de vert. Celtina était pétrifiée et terrifiée. Les êtres avançaient lentement, comme s'ils flottaient au ras du sol. Elle entendit ensuite des hurle-ments de terreur de chiens, des miaulements déchirants, des hennissements émouvants, des beuglements bouleversants.

– Malaen, qu'est-ce que c'est ? demanda-t-elle, la voix enrouée par l'émotion.

– La Compaña, la procession des âmes… répondit le petit cheval. Je n'ai pas pu empê-cher le massacre des Artabros, mais j'ai réussi à emmener leurs esprits. Je suis un cheval de l'Autre Monde, je leur ai offert de les conduire dans le Síd, auprès d'Arawn.

– Qui… Qui a fait ça ? balbutia-t-elle en retenant ses larmes.

– Des Romains ! Nous ne sommes qu'une douzaine à avoir survécu. Tous les autres sont morts…, glissa Breogán en désignant les spectres qui s'étaient arrêtés près de lui, tandis que les animaux fantômes gémissaient et se lamentaient.

Toutes les âmes des bêtes mortes dans l'attaque étaient restées auprès des spectres de leurs maîtres et manifestaient leur présence fantastique par des sons et des cris poignants et impressionnants. Ceux qui avaient survécu s'étaient enfuis loin dans les collines et avaient repris une vie sauvage. Les humains survivants n'avaient pu en récupérer que quelques-uns, notamment des vaches, des cochons, quelques poules qu'ils tenaient enfermés dans les grottes et dont ils tiraient leur maigre pitance*.

– Quand cela est-il arrivé? demanda-t-elle.

– Oh, il y a plusieurs lunes… J'en ai perdu le compte! Depuis, nous avons trouvé refuge ici et nous avons attendu…

– Attendu quoi?

– Toi! laissa tomber le vieux roi en soulevant sa torche pour éclairer Celtina.

Surprise par le geste, elle recula dans l'ombre. Un instant, elle se laissa submerger par l'idée de tourner les talons et de fuir le plus loin possible de cette vision lugubre. Mais, lorsqu'un des morts tourna ses orbites vides vers elle, instinctivement, elle parvint à retenir son geste.

Je ne dois pas tourner le dos à la mort. Je ne dois pas la laisser s'emparer de mon ombre et m'entraîner vers le néant. La Compaña n'est qu'un autre aspect de l'Ankou, le serviteur de la Mort. Je dois me méfier.

– Malaen peut conduire les tiens dans l'Autre Monde. Pourquoi ne pas l'avoir laissé faire? demanda-t-elle d'une voix qu'elle tenta d'affirmer par un toussotement.

– Parce que… pour la paix de leurs âmes, ces hommes, ces femmes, ces enfants ont besoin de savoir. Dis-nous ce qui est arrivé aux enfants de Kallaikoi partis courir après une lumière sur l'océan.

Pendant un bref moment, Celtina se demanda de quoi Breogán parlait, puis elle comprit: il voulait des nouvelles des Fils de

Milé qui s'étaient lancés à la conquête d'Ériu. Elle seule savait quel avait été le destin des uns et des autres. D'ailleurs, Érémon* et Amorgen ne lui avaient-ils pas fait promettre de se rendre en Kallaikoi pour y narrer les exploits des Fils de Milé dans l'île Verte?

– En suivant Malaen dans l'Autre Monde, plusieurs d'entre vous auraient pu retrouver des membres de leur famille, laissa-t-elle tomber tristement.

À ces mots, les lamentations et les gémissements reprirent au sein de la procession de revenants.

– Mais puisque vous êtes restés là à m'attendre, je ne me déroberai pas à mon devoir. Suivez-moi au village. Je vous raconterai tout ce qui est arrivé depuis le jour de leur départ. Je vous apprendrai le nom de ceux que la mer a vaincus, de ceux qui sont tombés sous les lames des Thuatha Dé Danann ou, pire, de leurs propres frères d'armes.

Pour ne pas avoir à tourner le dos à la mort, Celtina prit garde de laisser passer devant elle La Compaña menée par le vieux Breogán. La dernière âme en peine était suivie de Malaen et de la prêtresse qui fermait la marche de cette étrange procession, laquelle descendit des collines à la lueur des torches, escortée par des fantômes d'animaux.

Chapitre 2

Pendant de longues heures, au cœur de la nuit, assise sur un rocher en bordure du village, entourée d'une douzaine d'hommes, de deux femmes et d'un bébé, Celtina raconta l'histoire des Fils de Milé qui, dorénavant, se faisaient appeler les Gaëls.

Attentifs, les survivants de l'attaque romaine n'interrompirent pas une seule fois son récit, même si, à de nombreuses reprises, elle put lire de l'incrédulité, de la peine et de la peur sur leurs visages. Toutefois, pour la centaine de revenants de La Compaña, les émotions étaient bien différentes. Ils sanglotaient et se lamentaient chaque fois que la prêtresse mentionnait le nom d'un des Artabros tombés durant le voyage de conquête et la prise d'Ériu. Chacun de leurs sanglots, chacune de leurs lamentations faisait se lever un petit vent froid qui transperçait les vêtements et faisait trembler les vivants. La lumière dansante des torches dans la nuit donnait à la scène des airs macabres. Cette impression sinistre était rehaussée par le cri intermittent des oiseaux de nuit et le « kraah » des grues qui continuaient, imperturbables, leur migration vers le nord.

Lorsque l'adolescente se tut, le silence s'installa parmi les ruines du castrexo. Les Artabros étaient graves, abasourdis par les aventures de ceux qui étaient partis si loin, à la conquête d'une nouvelle terre. Le temps sembla suspendre son cours. Celtina, Breogán et ses compagnons attendaient: les spectres allaient-ils accepter son histoire et tenter de trouver enfin le repos?

Ayant subsisté jusqu'à ce jour en tant qu'ombres, un état entre le corps et l'âme, certains pouvaient s'accrocher à cette condition et décider de rester sur les Côtes de la Mort pour hanter à tout jamais les cavernes et les grottes. Si tel était leur choix, personne ne pourrait les obliger à s'en aller dans l'Autre Monde.

Celtina, pour sa part, n'avait pas l'intention de laisser Malaen servir de guide à ceux qui choisiraient de gagner le Síd, et elle leur expliqua ses raisons, dont la principale était qu'elle avait besoin de son petit cheval pour poursuivre sa route. Les protestations des revenants reprirent de plus belle, mais la prêtresse ne voulut pas céder. Ils devraient voyager seuls et trouver le chemin de la félicité éternelle par eux-mêmes.

Elle venait à peine d'annoncer sa résolution que, sur sa nuque, elle ressentit le même picotement que celui qui l'avait déjà incommodée quelques heures plus tôt dans la montagne. Cette fois, l'impression d'une présence dans son dos se faisait beaucoup plus tenace ; lentement, elle tourna la tête. Son regard fouilla la nuit. Brusquement, il s'arrêta sur une forme blanche, transparente, presque imperceptible, qui flottait entre deux pans de mur d'une maison écroulée. Là. Il y avait quelque chose ou quelqu'un, elle en était sûre. Breogán et les autres survivants ne s'étaient aperçus de rien, mais elle, sans doute à cause de l'extrême sensibilité sensorielle qu'elle avait acquise au fil de sa quête, elle, voyait ce que les autres ne pouvaient voir ni même imaginer. D'ailleurs, ils semblaient tous figés dans la posture qu'ils avaient adoptée avant la venue de l'apparition. Certains, la tête entre les mains, semblaient pleurer sur le sort des Fils de Milé, d'autres, plus réjouis, se félicitaient de la victoire des Gaëls. Tout dépendait du destin qui avait été celui des membres de leur famille partis au loin.

L'apparition se déplaça d'abord de gauche à droite, presque imperceptiblement, puis lentement, très lentement en direction de Celtina qui n'avait pas bougé d'un cil. Malaen agitait les oreilles, mais il ne renâclait pas. Manifestement, il n'avait pas peur, et ce comportement rassura la prêtresse. S'il y avait eu le moindre danger, son petit cheval magique n'aurait pas manqué de le lui signaler d'une manière ou d'une autre.

Peu à peu, la manifestation se fit plus présente, plus distincte. Celtina remarqua d'abord de courts bois de cerf ébréchés et délavés, dans lesquels s'entremêlaient des feuilles dentelées et immaculées de houx. Le tout jaillissait d'une longue chevelure blanche ébouriffée, comme constituée de minces fils entrelacés. Puis, le visage devint plus clairement défini. Il était blafard, mais elle remarqua que le front et les joues étaient parcourus d'entrelacs* bleutés et qu'une longue barbe mangeait tout le bas de la figure spectrale, jusqu'à la poitrine. Mais surtout, ce qui paralysa Celtina, ce furent les yeux. Les orbites étaient vides, totalement privées de vie. Noires et sans âme. Puis, la prêtresse distingua le corps, enveloppé dans une longue houppelande grisâtre, d'où s'échappaient deux mains dépourvues de peau. La cape reposait sur les épaules d'un squelette aux os blanchis. Elle ne put retenir un frisson. La gorge serrée, elle attendait que la manifestation soit totalement visible, même si elle se doutait de son identité. Ce fut l'apparition d'un cheval pâle et d'une meute de chiens blancs aux oreilles rouges qui lui confirma son pressentiment : devant elle, se détachant sur le fond noir de la nuit, se dressait Arawn, le maître des morts du Síd.

Celtina n'osait prononcer un seul mot. D'habitude, lorsqu'un Celte voyait Arawn, c'était que sa dernière heure était venue. Le maître des morts du Síd n'avait pas l'habitude de se déplacer pour rien. Après toutes les aventures qu'elle avait connues, après toutes les embûches surmontées, après toutes les épreuves vaincues, Celtina ne pouvait croire que le terrible Arawn était venu la chercher. Il lui restait tant à accomplir! C'était tout simplement impossible.

— Tu n'as pas à t'inquiéter, prêtresse, déclara Arawn de sa voix profonde en lisant les pensées de l'adolescente. Je ne suis là ni pour te nuire ni pour t'emmener. Je suis venu pour guider ces pauvres âmes en peine vers ma forêt enchantée et pour leur offrir la vie de félicité qu'ils ont méritée en se conduisant comme des guerriers fiers et droits dans l'adversité. Ils se sont battus avec courage contre leurs ennemis et je leur offre l'hospitalité de mon domaine. Ils pourront se reposer pour l'éternité.

Arawn détacha la corne d'ivoire qu'il portait à sa taille et souffla très fort. Aucun son ne retentit dans le castrexo et, pourtant, Celtina vit un à un les revenants dociles se diriger vers le maître, répondant à cet appel, inaudible à tout autre qu'eux. Les animaux morts pendant la bataille contre les Romains se déplacèrent dans le sillage des hommes, des femmes et des enfants décédés. Tous ceux qui avaient perdu la vie dans l'attaque trouveraient leur place dans le Síd, protégés à tout jamais par les dieux des Tribus de Dana.

L'ironie de la situation n'échappa pas à Celtina. Les Gaëls avaient délogé les Thuatha Dé Danann d'Ériu et les avaient forcés à s'établir dans l'Autre Monde jusqu'à la fin des temps. Et voilà que leurs propres familles étaient emmenées dans le même lieu pour y vivre en harmonie, dans la paix et la félicité du Síd. Dans la mort, les hommes finissaient par retrouver les dieux, malgré tout ce qui les opposait. Cette constatation lui arracha un sourire triste. À quoi avait servi aux Gaëls de vouloir chasser les dieux, si ce n'est à y perdre la vie? *Finalement, à bien y penser, les dieux ont le dernier mot,* songea-t-elle. *Ce sont eux qui veillent sur les âmes des morts.*

Elle se rendit compte que ses pensées l'avaient transportée bien loin de Briga et elle releva les yeux. Arawn, son cheval, ses chiens et les âmes des Artabros avaient disparu. La nuit bruissait de nouveau de centaines de bruits d'animaux sauvages. Breogán et ses compagnons ne semblaient s'être rendu compte de rien, puisque le roi des Artabros, grave et inquiet, l'interrogea:

– Où sont parties les âmes en peine?

– Arawn est venu les chercher… Elles sont en paix maintenant!

Le vieux roi hocha la tête. Même si Breogán avait refusé la suprématie des dieux, il n'avait plus la force ni l'envie de contester leur existence. Les Artabros avaient subi trop d'épreuves depuis qu'Ith* et Éranann s'étaient opposés aux dieux. Sa tribu avait été largement punie pour cela, songeait le vieil homme. Il était temps de revenir aux croyances d'autrefois et de respecter les coutumes celtiques.

– Nous allons quitter Briga pour un certain temps, reprit-il après quelques secondes de réflexion. Les Romains peuvent revenir et nous ne sommes plus assez nombreux pour nous défendre convenablement.

– Où irez-vous? l'interrogea Celtina, étonnée que la tribu abandonne ainsi sa capitale.

– Vers le Minho… Je vais tenter de regrouper les guerriers de Kallaikoi et du Minho. Ensemble, nous pourrons mieux nous défendre. Le Minho n'a pas été abandonné par les dieux. Peut-être que les Thuatha Dé Danann sauront nous pardonner si nous retrouvons nos croyances ancestrales. Les tribus du Minho nous aideront à retourner sur la voie de notre culture et de nos croyances. Et toi, vers où te mène ta quête?

– Je dois retourner en Gaule… Je dois revoir d'anciens compagnons de Mona, Gildas, Tifenn et les autres.

– Essaie de trouver un berger du nom de Millaris, lui conseilla Breogán. C'est lui qui, un jour, a découvert de l'eau gelée et l'a jetée en l'air. Depuis ce temps, il neige sur

Piren. Il connaît les montagnes comme le fond de sa poche, toutes les grottes, toutes les cascades, tous les ruisseaux. Il saura sûrement t'indiquer la bonne direction pour retrouver tes amis.

Celtina lui sourit. Le vieux roi était bien fatigué. Voilà qu'il mélangeait les légendes d'autrefois à la réalité d'aujourd'hui. Il y avait bien longtemps que l'âme de Millaris séjournait dans le Síd. La vie de ce berger était l'une des histoires que Gildas aimait à raconter pour divertir les élèves durant leurs longues soirées d'hiver à Mona.

– Je n'y manquerai pas ! Mais, pour l'instant, je vais m'installer ici pour la nuit, avant de reprendre ma route, fit Celtina en désignant une des huttes qui n'avaient pas brûlé.

– Mes compagnons et moi retournons dans les collines, répondit Breogán. Nous n'avons plus le cœur à habiter ce castrexo après tout ce qui s'y est passé… Plus rien ne nous retient ici. Adieu, prêtresse !

Guidée par leur roi brandissant sa torche, la petite troupe d'Artabros s'éloigna. La nuit retomba sur le castrexo. Celtina visita plusieurs huttes avant de faire son choix, mais elle évita d'entrer dans celle qui l'avait abritée pendant son séjour précédent à Briga. Le souvenir de la bruxa* était encore trop vif à son esprit ; elle ne voulait pas ressasser de mauvais souvenirs.

Elle entra finalement dans la hutte qui avait autrefois appartenu à Ith, et y trouva suffisamment de paille pour se faire une couche. Malaen s'étendit contre elle pour lui tenir chaud. En peu de temps, elle sombra dans un profond sommeil sans rêves. Et la nuit se passa sans encombre.

Au petit matin, Malaen proposa à Celtina de lui faire traverser la montagne par des chemins creusés à flanc de collines et en empruntant les passages tracés au fond des cavernes inconnues des hommes. Comme elle avait déjà expérimenté cette façon de voyager et en gardait un excellent souvenir, elle accepta avec empressement. Cela lui éviterait des jours et des nuits de marche éreintante dans la montagne.

Les fumerolles*, les stalactites, les stalagmites, les concrétions, les couleurs pastel, toutes ces merveilles ne cessaient de l'étonner, et elle fut reconnaissante à Malaen de lui offrir de revoir ces beautés naturelles qu'elle n'avait pas pris la peine d'apprécier à leur juste valeur au cours de son premier voyage dans les entrailles de la Terre.

Mais lorsque, au sortir d'une grotte, ils retrouvèrent l'air libre, Celtina eut le souffle coupé par la beauté du paysage qui s'étendait devant elle. Hautes montagnes aux sommets enneigés, cascades glacées et ruisseaux cristallins rivalisaient de splendeur avec les rochers de calcaire gris, ocre ou rosé. En tournant son regard vers la terre des Ibères, elle s'étonna des profonds canyons qui marquaient le paysage. Puis, pivotant sur elle-même, elle reporta ses yeux vers la Gaule où, cette fois, l'éblouissement fut provoqué par des cirques* spectaculaires au pied des montagnes abruptes.

Elle n'avait jamais rien vu d'aussi gigantesque, d'aussi phénoménal, d'aussi beau.

– Où sommes-nous? murmura-t-elle, comme si elle craignait que le son de sa voix ne fasse s'évanouir les splendeurs qui s'étalaient sous ses yeux.

– Au pays des Bigerri et des Campani; ce sont des montagnards très rudes et combatifs. Les Campani résistent aux Romains depuis fort longtemps. Avec le nombre de grottes que recèle leur pays, ils peuvent se cacher facilement et harceler les soldats en restant bien à l'abri dans les rochers.

– Leurs lacs, leurs montagnes, leurs forêts, leurs prairies, tout ici est d'une beauté pure! s'exclama Celtina qui ne pouvait détacher ses yeux d'une opulente cascade qu'elle voyait et surtout entendait gronder non loin de là.

Un cri inconnu et strident attira son attention. Dans le ciel d'un bleu de glace, un vautour majestueux virevoltait au ras d'une anfractuosité où il avait sans doute fait son nid. Elle n'avait jamais entendu parler de ce type de rapace que Malaen identifia pour elle.

– C'est un casseur d'os*. Son nom lui vient de son habitude de laisser tomber les os dont il se nourrit sur les rochers pour les casser et en consommer les débris, précisa le cheval magique.

– Brrr! Descendons de la montagne avant qu'il n'ait l'idée de choisir nos propres os pour repas, fit la jeune prêtresse en avançant prudemment sur les rochers moussus rendus glissants par la fonte des neiges.

Au fur et à mesure de leur descente, la prêtresse se rendit compte que la flore changeait. Des arbustes nains qui peinaient à s'agripper au calcaire, elle passa aux plantes qu'elle put reconnaître: des lis, des iris, des chardons. Un peu plus bas, elle prit soin d'éviter d'écraser des plants de gueules-de-loup* qui, dans quelques semaines, viendraient peindre les rocailles de la montagne de couleurs vives: rouge, rose, blanc, jaune, violet et bleu.

Ses pas chassèrent également des petits lézards et des grenouilles rousses, puis, entendant des pierres rouler vers le bas de la pente, elle s'arrêta et fit signe à Malaen de s'immobiliser. Cachée derrière un rocher, elle put observer un isard* aux petites cornes incurvées vers l'arrière, à la robe brune soulignée de noir sur les pattes et les épaules;

c'était un mâle. Ses petites oreilles, inquiètes, s'agitaient sans cesse, tout comme ses splendides yeux fauve doré. Un peu à l'écart, le reste de la harde d'environ sept ou huit individus semblait tout aussi tendu. Puis, le mâle sembla se détendre. Celtina vit alors une marmotte émerger de son terrier en marmonnant. Après la longue hibernation de l'hiver, elle était sans doute à la recherche de nourriture pour ses petits.

– Faisons un détour, murmura Celtina. Il ne faut pas les déranger. Y a-t-il un autre sentier pour descendre?

– Oui, suis-moi! répondit Malaen, tout bas.

– Ici, j'ai l'impression d'être au centre du monde, poursuivit Celtina en se glissant derrière le tarpan. Tu sais, cet endroit magique où le ciel, la terre et les êtres vivants se rejoignent pour vivre en paix et en harmonie!

Ils avançaient ainsi, insouciants et heureux depuis une dizaine de minutes, lorsque Malaen, tous les sens en alerte, s'immobilisa brusquement. Emportée par son élan, Celtina lui heurta l'arrière-train, mais le petit cheval ne broncha pas. Ce qui se passait devant le préoccupait plus que ce qui se déroulait derrière.

– Qu'y a-t-il? demanda-t-elle, intriguée mais nullement inquiète.

– Il y a quelqu'un par ici… J'essaie de me projeter dans son esprit, mais impossible. Un être mystérieux nous surveille…

– Ami ou ennemi ? le questionna la prêtresse qui, cette fois, était sur ses gardes.

– Je perçois sa présence, mais je ne parviens pas à percer ses intentions.

– Alors, avançons prudemment et essayons de ne pas nous faire surprendre. Je vais passer devant. La makila* que m'a donnée Banuabios peut nous aider à nous défendre contre un animal dangereux, surtout s'il s'agit d'un ours.

Pas à pas, s'arrêtant pour écouter et sonder les rochers, Celtina et Malaen reprirent leur route. De temps à autre, le tarpan faisait le point : la présence invisible était toujours dans les parages, l'esprit fermé à toute intrusion.

Soudain, sur un tas de boue, près d'une petite cascade surgissant d'une anfractuosité dans la montagne, Celtina découvrit une empreinte qui les laissa perplexes tous les deux. C'était une trace en forme de patte d'oie, Y, avec, lui sembla-t-il, des orteils à chaque extrémité.

– Je n'ai jamais vu ça, s'étonna Celtina.

– Hum ! fit Malaen. J'ai entendu parler de bansidhe aux pattes d'oie, mais je n'en ai jamais croisé. Même dans l'Autre Monde, elles ne se mêlent pas aux autres. Peut-être est-ce l'une d'elles qui a laissé cette empreinte ? Généralement, elles sont plutôt amicales, quoique très discrètes.

Pendant une demi-heure encore, Malaen et Celtina restèrent sur le qui-vive, mais la présence qu'ils avaient décelée semblait s'être évaporée. Alors, ils poursuivirent leur chemin.

Chapitre 3

La longue descente de Piren avait été éprouvante pour Celtina. Des pierres aux arêtes tranchantes lui avaient blessé les pieds, tandis que quelques chutes malencontreuses avaient meurtri ses coudes et ses genoux. Elle se sentait dans un état physique pitoyable et décida de faire un arrêt dans une grotte pour y soigner ses ecchymoses. Heureusement, son sac de jute contenait de nombreuses plantes qui lui seraient des plus utiles. Elle n'aurait pas à se mettre à la recherche de simples, surtout dans un environnement qu'elle ne connaissait pas et qui pouvait se révéler hostile. Elle n'était pas à l'abri d'une mauvaise rencontre, d'autant plus que Piren était le royaume de l'ours brun. En chemin, elle avait cueilli quelques plantes sans pour autant les reconnaître ou savoir quel usage elle pourrait en faire. Elle espérait rencontrer des montagnards ou un druide habitué à la flore de cette région pour la renseigner. Maève leur avait toujours dit que toutes les plantes avaient une utilité et qu'il était important pour les druides et les prêtresses de s'intéresser à tous les végétaux qu'ils découvraient. Leur apprentissage ne serait jamais terminé, car il existait des milliers d'espèces qu'ils ne connaîtraient jamais.

Après avoir bien examiné les flancs de la montagne, les deux voyageurs trouvèrent finalement une petite caverne, probablement la dernière qui leur serait accessible avant qu'ils n'atteignent le majestueux cirque creusé au fil des ans par un glacier et qui s'ouvrait devant eux, à moins d'une leuca* en contrebas. Non loin de leur abri prenait naissance une petite rivière tumultueuse dans laquelle ils purent se rafraîchir et où Celtina put puiser l'eau nécessaire à ses décoctions médicinales.

Elle se hâta de ramasser une bonne provision de plantes et de lichens secs dont elle se servit pour allumer un feu. Ce n'était pas l'idéal et la flambée ne durerait guère longtemps en l'absence de bois, mais au moins cela lui permettrait de faire chauffer un peu d'eau pour ses infusions. Elle n'en demandait pas plus, car elle ne comptait pas passer la nuit dans cet endroit. Son idée était de trouver un village bigerri ou campani où elle demanderait l'hospitalité et pourrait obtenir des nouvelles du monde.

Elle s'empressa donc de soulager ses pieds endoloris et d'appliquer des cataplasmes à base de plantes sur les bleus qui marbraient ses membres, puis elle avala une tisane tiède qui devait la remettre sur pied.

Enfin, après avoir examiné attentivement son abri, la prêtresse jugea que l'endroit était approprié pour une bonne sieste d'après-midi et elle s'installa du mieux possible, emmitouflée dans sa cape, tandis que Malaen partait explorer les environs.

Elle s'était assoupie depuis une quinzaine de minutes lorsqu'elle ressentit une présence dans la grotte. Pensant qu'il s'agissait de Malaen, elle garda les yeux fermés et se retourna en marmonnant qu'elle voulait dormir encore un peu.

Quelques secondes plus tard, un souffle frais dans ses cheveux la fit frissonner. Elle ouvrit brusquement les yeux, sans pour autant se retourner. Cette fois, ce n'était sûrement pas Malaen. Le petit cheval magique avait une haleine chaude et non fraîche comme celle qui venait de se déposer dans son cou. Elle évalua la situation avant de faire face à la présence qu'elle percevait maintenant tout près d'elle. Le dos tourné vers la paroi de la grotte, elle ne pouvait voir ce qui venait ainsi de se pencher sur elle ; toutefois, le souffle perdurait. Il était léger, inodore, frais et calme.

Comme rien ne semblait la menacer, Celtina se retourna sur le dos et inclina la tête en direction de l'intrus. Elle découvrit une femme, grande, aux longs cheveux blancs ; sa peau était aussi extrêmement blanche, tout comme ses cils et ses sourcils. Penchée sur elle, la femme semblait chercher à mieux distinguer ses traits. La prêtresse comprit immédiatement : elle avait affaire à une personne albinos, à la vue rendue extrêmement déficiente à cause de sa maladie.

Alors qu'elle allait adresser la parole à la visiteuse, l'entrée de la grotte fut obscurcie. Celtina se redressa sur son séant* avec vivacité. L'albinos sursauta et se déplaça légèrement sur sa droite pour faire face à l'entrée. Son visage exprimait sa crainte et, pourtant, elle semblait vouloir affronter le danger potentiel qui venait de se manifester sur le seuil de la grotte.

– Ah, c'est toi, Malaen ! se détendit Celtina en reconnaissant le petit cheval. Tu m'as fait une de ces peurs !

– Une hada ! s'exclama le tarpan en découvrant à son tour l'albinos. Eh bien, quelle surprise !

Les yeux de Celtina se portèrent presque à son insu vers les pieds de la femme. Elle vit effectivement les deux pattes d'oie palmées caractéristiques des bansidhe qui vivaient dans les profondeurs de Piren. Ce n'était donc pas un être humain souffrant d'une maladie génétique, mais plutôt une de ces créatures si mystérieuses que peu de gens pouvaient se vanter d'avoir vues de près.

– Je m'appelle Aceio.

La voix de la hada était cristalline, à l'image des rivières et des cascades des profondeurs des montagnes où vivait cette race de bansidhe cavernicoles*.

– Je suis Celtina, du Clan du Héron, se présenta l'adolescente. Et voici Malaen…

– Un cheval de l'Autre Monde, reconnut Aceio. D'habitude, les gens de ma race se tiennent éloignés de la plupart des êtres du Síd, même si nous devons partager les profondeurs de la terre avec eux. Et encore plus des Celtes, ajouta-t-elle en souriant à Celtina, mais…

La respiration de la hada se fit plus saccadée, et Celtina perçut des émotions très fortes chez la bansidh. Elle l'encouragea à poursuivre :

– Mais…

– Mais il faut nous aider, mes sœurs et moi !

Malaen se déplaça et regarda à l'extérieur de la grotte ; il ne vit pas d'autres hadas dans les parages.

– Ne cherche pas, cheval de l'Autre Monde, tu ne trouveras pas mes compagnes tant qu'elles décideront de demeurer discrètes…

Le tarpan revint vers Celtina en secouant son toupet sombre pour confirmer qu'il n'avait rien vu.

– Comment pouvons-nous t'aider ? demanda Celtina, tout en se remettant sur ses pieds.

Elle constata que la hada était plus grande qu'elle d'environ une tête et qu'elle avait les yeux d'un rose si pâle qu'ils en paraissaient presque blancs. L'impression d'ensemble était plutôt intrigante, mais comme l'avait dit Malaen plus tôt, ce genre de bansidhe paraissait plutôt amical.

– Il y a deux lunes, nous avons recueilli une petite fille de six ans de ton peuple, déclara Aceio. Nous ne pouvons pas la garder indéfiniment dans les grottes où nous vivons. Il faut que quelqu'un s'occupe d'elle et la ramène parmi les Celtes. Nous avons attendu tout ce temps que tu passes par ici pour te demander de le faire…

– Vous m'avez attendue ? s'étonna la prêtresse.

– Oublies-tu que nous sommes des bansidhe ? Nous savons que tu es l'Élue. Depuis que tu as quitté les terres des Artabros, nous avons suivi ta progression dans la montagne. Piren est notre domaine, à nous, les hadas. Nous sommes des milliers à vivre dans les cavernes des montagnes. Il était facile de te suivre et de faire circuler la nouvelle de ta venue de sommets en vallées, de pics en aiguilles.

– J'aurais pu emprunter un autre chemin que celui qui passe par ici ! fit remarquer Celtina qui était sûre d'avoir toujours eu le libre arbitre de la direction à prendre.

– Non. Nous avons envoyé des isards pour t'éloigner de l'autre voie de descente. Comme prévu, tu as préféré les laisser en paix et changer de route. Tu vois, nous t'attendions…

– Et la petite fille? l'interrogea enfin l'adolescente en comprenant que les hadas l'avaient vraiment déroutée pour l'amener vers cette grotte. Qui est-elle? D'où vient-elle?

– Elle s'appelle Kàerell, c'est la petite sœur de…

La hada se retint. Celtina chercha à capter son regard rose, mais les yeux de la bansidh fuyaient, et la prêtresse comprit que l'identité de la personne qu'Aceio hésitait à lui dévoiler lui était sans doute connue. La bansidh voulait lui éviter un choc et la prêtresse se demanda pourquoi.

– La petite sœur de…, insista Celtina en glissant ses yeux céladon dans le regard rose de la hada.

– De… Gildas à la Belle Chevelure, soupira la bansidh en scrutant les traits de la prêtresse.

– Gildas! s'écria Celtina. Mais c'est un ami! Tu parles bien de Gildas du Clan de la Marmotte, de ce Gildas qui a de longs et fins cheveux noirs bouclés qui lui ont valu son surnom?

– C'est bien lui!

– Comment se fait-il que sa petite sœur soit avec les hadas? intervint Malaen.

– Nous l'avons trouvée. Elle errait toute seule dans le cirque, aux abords du cromlech* sur lequel nous veillons. Elle était perdue et terrorisée. Et la terreur l'a rendue muette. Ce n'est qu'en sondant son esprit que nous avons pu reconstituer une partie de son histoire… Mais nous ne voulons pas abuser de ce procédé !

– Tu as bien fait, Aceio. Si elle est sous l'emprise de la terreur, sonder son esprit peut la rendre folle à tout jamais, confirma Celtina. Qu'avez-vous découvert ?

– Son esprit est marqué par de terribles scènes de violence… Son frère est impliqué, mais nous n'avons pu découvrir sur quel plan. Quand on prononce le nom de Gildas à la Belle Chevelure, aussitôt des flots rouges envahissent ses pensées. Le sang a coulé.

– Gildas est un apprenti druide ; jamais il n'aurait provoqué un massacre, répondit Celtina, songeuse. Sa réaction indique plutôt que la petite et lui ont été les témoins d'événements tragiques et sanglants. Qu'est-il arrivé à Gildas ?

– C'est justement là tout le problème ! Nous n'avons pu l'apprendre. L'esprit de la petite s'emballe dès que l'image de son frère s'y présente. C'est trop dangereux pour elle de continuer dans ces conditions. Il faut la ramener dans sa tribu. Un druide bigerri pourra la soigner. Peut-être qu'en retrouvant son clan, sa famille, et le temps aidant, elle sera en mesure de parler de nouveau et de faire le récit des événements.

– Pourquoi n'avez-vous pas ramené Kàerell vous-mêmes ? s'étonna Malaen.

– Nous sommes des hadas ! répondit Aceio sur un ton ironique, comme si elle s'adressait à un idiot.

– Les Bigerri connaissent les hadas, ils ne vous craignent pas ! insista le petit cheval.

– Ils ne nous craignent pas… Mais nous, oui ! Depuis que les hommes à la carapace de fer et portant une longue queue de cheval rouge sur leurs casques sont dans la région, tout change.

– Les Romains ! murmura Celtina à l'intention de Malaen qui hocha la tête pour lui signifier que lui aussi avait identifié les hommes dont parlait la hada.

– Les Bigerri sont devenus moins amicaux avec les bansidhe, poursuivit Aceio. Plusieurs nous chassent comme si nous n'étions que des mauvais rêves. Et d'autres ne nous voient même plus. C'est trop dangereux de laisser la petite aux mains de tels individus. Il n'y a que les Campani qui osent encore s'opposer aux envahisseurs. Malheureusement pour nous, le Clan de la Marmotte fait partie des Bigerri. Il faut quelqu'un d'humain pour accompagner Kàerell et veiller sur elle, même dans son propre village.

– Hum ! Si les Bigerri ont renoncé à leurs croyances ancestrales, tu as raison, répondit Celtina qui réfléchissait à haute voix tout en s'adressant à Aceio. Kàerell risque d'être rejetée de son clan simplement parce qu'elle a été recueillie par les hadas. Certains pourraient voir en elle une sorcière ou, pire, une manifestation du mal. Il faut nous montrer prudents avant de la réintroduire dans son village.

– Les hadas ont fait preuve de sagesse en ne tentant pas de la ramener elles-mêmes, approuva Malaen.

La bansidh albinos esquissa un sourire, ses yeux roses s'illuminèrent.

– Je vais te conduire près de Kàerell maintenant. Mes sœurs veillent sur elle pendant qu'elle prend l'air près du cercle de pierres.

La jeune prêtresse trouva que c'était un endroit bizarre pour prendre l'air, car les cromlechs étaient les monuments funéraires des hommes qui avaient précédé les Celtes sur cette terre, plus de deux mille cinq cents ans avant la naissance de Celtina. Par la suite, les cromlechs avaient été occupés par les druides qui en avaient fait des enceintes sacrées. C'était des constructions mégalithiques plus rares que les menhirs, les dolmens, les cairns et les tumulus, et le plus célèbre était sans aucun doute le Cercle des Pierres suspendues de l'île de Bretagne. Les hadas avaient pris l'habitude de vivre aux abords des cromlechs, car, pour elles, ces monuments constituaient les portes du Síd par lesquelles elles pouvaient échapper à certains hommes qui les traquaient comme des bêtes curieuses en raison de leur couleur immaculée. C'était aussi par ces portes que les hadas s'éloignaient de l'Autre Monde et des autres entités qui le peuplaient lorsqu'elles en avaient assez des Thuatha Dé Danann et des autres bansidhe.

L'enfant était assise au centre du cercle de pierres, entourée par une douzaine de hadas. Celtina se rendit compte qu'elles étaient toutes des copies conformes d'Aceio. Même taille, même peau laiteuse, mêmes cheveux blancs et mêmes yeux roses; rien ne les différenciait. Si la prêtresse n'avait pas su qu'elle avait affaire à des bansidhe, elle se serait crue la victime d'une hallucination. Au milieu d'elles, Kàerell avait l'air d'un petit oiseau perdu. C'était une enfant mince, fragile, aux longues boucles noires et à la peau mate. Son petit nez en trompette lui avait sans aucun doute valu son prénom qui signifiait «Petite Belette».

Kàerell ne bougea pas lorsque Celtina s'accroupit près d'elle et lui parla doucement:

– Je suis une amie de ton frère… Nous étions ensemble à Mona, pour étudier chez les druides. Je vais te ramener chez toi!

L'enfant, qui avait de longs cheveux noirs bouclés comme ceux de Gildas, tourna ses yeux sombres vers la prêtresse, et celle-ci put y lire une immense détresse et une terreur sans nom. Pour ne pas l'effrayer davantage, Celtina décida de l'apprivoiser avec délicatesse. Elle s'assit donc à son tour aux côtés de Kàerell, au centre du cercle de pierres. D'abord, elle ne dit rien, se contentant d'être là, ajustant le rythme de sa respiration à celui de la petite. Pendant près d'une heure, elles gardèrent le silence, sans même échanger un regard, se remplissant de la sérénité des lieux et appréciant la beauté du paysage du cirque en écoutant le bavardage des oiseaux.

Puis, la prêtresse prit la main gauche de Kàerell dans la sienne et, constatant que la petite la lui abandonnait avec calme, elle lui parla doucement de Mona, de Maève, de l'apprentissage des élèves de Mona, en évitant toutefois de mentionner le nom de Gildas à la Belle Chevelure. Le monologue dura environ deux heures. Au fur et à mesure du récit, Kàerell s'était peu à peu détendue. La détresse avait abandonné son regard, remplacée par une lueur de curiosité que Celtina jugea de bon augure.

– Aceio m'a demandé de te ramener chez les Bigerri…, annonça la prêtresse lorsqu'elle constata que le soir n'allait pas tarder à descendre sur les sommets enneigés. Veux-tu m'accompagner?

L'enfant regarda longuement Celtina, puis ses yeux se posèrent sur les hadas qui n'avaient cessé de veiller sur elle depuis une soixantaine de jours, comme si elle cherchait leur approbation. Aceio inclina la tête. Alors, toujours muette, Kàerell se leva, mit sa petite main droite dans celle de Celtina et tira la prêtresse à l'extérieur du cercle de pierres.

Par un chemin à peine visible qui serpentait le long des parois verticales du cirque naturel, elles se dirigèrent vers une forêt de hêtres et de sapins que la petite semblait bien connaître. Malaen les suivait, comme un bon petit cheval fidèle et attentif.

Chapitre 4

Ce fut d'abord l'odeur qui alerta Celtina. Derrière des relents* de brûlé, elle distingua des exhalaisons* de putréfaction. Dans sa main, elle sentit celle glacée et tremblante de Kàerell. Les yeux céladon de la prêtresse se faufilèrent entre les larges troncs des chênes, des bouleaux et des sapins; elle appréhendait ce sur quoi ils allaient se poser. Mais elle avait beau fouiller du regard devant elle, elle ne distinguait rien. Il fallait avancer un peu plus. De nouveau, Celtina regarda la petite Bigerri. Il était hors de question que l'enfant affronte de nouveau le terrible cauchemar qu'elle avait vécu et qui l'avait rendue muette. La prêtresse se tourna vers Malaen.

– *Passe devant!* lança-t-elle au tarpan. *Et reviens nous prévenir s'il y a le moindre danger.*

Le cheval s'ébroua pour signifier qu'il avait compris. Depuis que Kàerell les accompagnait, Celtina et Malaen n'avaient pas échangé une seule parole à voix haute, se contentant de communiquer par la pensée pour ne pas terroriser l'enfant déjà déstabilisée par ce qu'elle avait vu dans son village deux lunes plus tôt.

Attendant patiemment le retour de Malaen, Celtina et Kàerell continuaient de scruter les alentours, mais rien ne vint les alarmer.

Moins d'une dizaine de minutes plus tard, le tarpan revint. En s'insinuant dans son esprit, Celtina comprit l'étendue de la catastrophe qu'avait connue l'oppidum bigerri. C'était pire que ce à quoi elle s'attendait. Elle avait encore en tête les images de son propre village brûlé par les Romains mais, en se glissant dans l'esprit de Malaen, elle eut un choc en découvrant ce que le cheval avait vu. Cette fois, les assaillants n'avaient pas fait de prisonniers. Tous les villageois avaient été massacrés et les corps, laissés sur place, à la merci des prédateurs et de la pourriture. Ce qui expliquait l'odeur écœurante qui les incommodait depuis leur arrivée dans ce lieu terrible. Toutefois, un fait étonna Celtina. Les animaux domestiques dont les Romains avaient besoin pour se nourrir n'avaient pas non plus été emmenés. Les carcasses pourrissaient à côté des cadavres de leurs propriétaires. C'était étrange et surtout cela ne correspondait pas aux façons de faire des envahisseurs romains. Elle s'interrogea : *Est-ce bien les armées de César qui ont perpétré cet assassinat collectif, ou une autre force maléfique était-elle à l'œuvre ?*

Les larmes aux yeux, Celtina prit Kàerell dans ses bras et la serra très fort contre son cœur. Ce que la petite avait vu était si terrible que la prêtresse saisissait mieux dans quel état de choc elle avait sombré.

Et Gildas? demanda mentalement Celtina au cheval de l'Autre Monde.

L'image de son ami qu'elle découvrit par l'esprit de Malaen la fit hoqueter de stupeur et d'horreur. La longue robe blanche en lambeaux du jeune druide était maculée de sang et de boue. Son crâne semblait avoir été fendu à coups de casse-tête*. C'était horrible. Il était tombé dans une petite clairière à l'écart du village, comme s'il avait cherché à fuir, et s'était fait rejoindre par son assaillant. Celtina se demanda si Kàerell fuyait en compagnie de son frère lorsque le meurtre avait été commis. C'était fort probablement le cas, et cela expliquait tout à fait l'état traumatique de Petite Belette.

– Allons-nous-en d'ici! dit la prêtresse en essuyant rageusement ses larmes et en enfouissant son visage dans la chevelure noire et bouclée de sa petite protégée.

Kàerell n'avait plus de larmes pour pleurer son frère et son clan. Elle se contentait de serrer ses petits bras tremblants autour du cou de la prêtresse.

– Je vais t'emmener dans un autre village de ta tribu, murmura Celtina à l'oreille de l'enfant qu'elle portait toujours dans ses bras. Tiens, monte sur le dos de Malaen, ce sera moins fatigant.

Elle déposa la fillette sur le tarpan. La gamine se laissa faire sans dire un mot. Le cheval de l'Autre Monde prit la tête du cortège et éloigna leur petit groupe du carnage.

– *Malaen! Nous devons trouver un village bigerri où Kàerell sera à l'abri. Il faut à tout prix éviter les oppida déjà occupés par les Romains,* lâcha-t-elle au cheval qui déjà s'était mis en marche.

Ils cheminèrent pendant des jours et des nuits par les chemins de montagne, s'approchant parfois de certains oppida sans toutefois oser y demander de l'aide. Chaque fois, Celtina avait la mauvaise surprise de constater que les palissades étaient gardées par des soldats romains. Contrairement aux montagnards campani, les Bigerri s'étaient presque tous rendus à Publius Licinius Crassus, le lieutenant de César, après la défaite de leurs voisins sotiates*.

La seule bonne nouvelle était que, au fil des heures, le visage et le comportement de Kàerell avaient fini par retrouver une certaine sérénité. Parfois, l'enfant souriait à la prêtresse et même riait à gorge déployée, par exemple lorsque Malaen faisait le pitre pour la détendre. Toutefois, elle persistait à garder le silence. Celtina n'osait pas encore interroger l'esprit de la gamine de crainte d'y faire ressurgir des souvenirs intenables qui risquaient de la faire sombrer dans la folie. La patience et la plus grande prudence étaient de rigueur.

Celtina s'interrogeait aussi sur le secret que Maève avait transmis à Gildas. Son ami avait-il confié son vers d'or à sa petite sœur ? C'était probable. Mais comme il lui était impossible de sonder l'enfant, elle devait attendre que celle-ci se décidât enfin à s'exprimer pour l'interroger sur cette partie du secret des druides. L'image terrible du corps étendu de son ami dans la clairière, qu'elle avait vue par l'esprit du tarpan, lui revint en mémoire. Elle se concentra sur les détails. Elle en était sûre, le cadavre ne portait pas de bague. Gildas la gardait-il cachée dans la petite bourse de cuir accrochée à son aube ou l'avait-il confiée à Kàerell avec la phrase secrète ?

Quelques semaines avant de fuir l'Île sacrée, Maève avait remis une bague à une douzaine d'étudiants, les douze porteurs du secret des druides. Mais comme le lui avait dit Dagda, c'était à elle de les retrouver tous. Les dieux pouvaient la guider, mais ils n'effectueraient pas sa mission à sa place.

Tandis que toutes ces pensées agitaient son esprit, elle et ses deux compagnons poursuivaient leur route par les chemins escarpés de la montagne et les profondeurs sombres des futaies.

Cet après-midi-là, alors qu'épuisée Celtina pensait à se chercher un abri pour passer la nuit, Malaen s'agita anormalement.

– *Que se passe-t-il ?* l'interrogea la prêtresse.

– *On nous suit depuis un petit moment. Je n'arrive pas à percer les pensées de celui qui nous épie. Il a totalement verrouillé son esprit. C'est quelqu'un de très fort mentalement.*

– Un druide? s'enthousiasma Celtina qui, dans sa hâte de trouver un être humain capable d'aider Kàerell, en oubliait presque que des forces sombres la menaçaient depuis qu'elle avait quitté Mona.

– *Non. Probablement un sorcier*, la détrompa Malaen.

Des propos qui la plongèrent à la fois dans la perplexité et la crainte. Pendant quelques secondes, elle garda le silence, le temps de rassembler ses idées.

– *Est-ce Torlach, le sorcier fomoré?* s'inquiéta-t-elle soudain en s'efforçant de sourire à Kàerell pour que la fillette ne devine pas son malaise.

– *J'en ai bien peur!* fit le tarpan.

– *Mais que me veut-il donc à la fin?* s'emporta-t-elle.

– *Je ne peux pas te le dire, je n'arrive pas à lire ses pensées. Il est trop fort, même pour moi qui suis de l'Autre Monde.*

– *Je crains qu'il ne s'en prenne à Kàerell pour m'atteindre*, pensa Celtina. *Si tu sens qu'il cherche à pénétrer son esprit, préviens-moi. Il faudra que l'on allie nos forces pour dresser une barrière mentale autour d'elle. Il faut protéger l'enfant coûte que coûte…*

Ils restèrent aux aguets pendant quelques heures encore, mais rien ne se passa. Ils trouvèrent finalement une grotte pour y passer la nuit et s'installèrent le plus confortablement possible, après que Malaen eut pris soin de l'inspecter pour vérifier qu'elle était libre de tout animal sauvage. La plupart des ours s'étaient maintenant réveillés de leur longue hibernation et cherchaient à s'accoupler. Les voyageurs devaient prendre garde à ne pas déranger les couples nouvellement formés ou, pire encore, une femelle qui venait de mettre bas, car une ourse défendant ses petits pouvait se révéler l'animal le plus dangereux qui fût.

La grotte choisie semblait avoir été abandonnée depuis longtemps et Malaen assura Celtina qu'ils ne craignaient rien en s'y installant. Après avoir grignoté les quelques baies et noix ramassées en chemin, les deux filles s'étendirent pendant que le tarpan montait la garde.

Tout était tranquille et Celtina somnolait lorsqu'une voix, très faible et agitée, la tira de ses rêves. Elle tendit l'oreille. C'était Kàerell qui parlait en dormant. Aussitôt alertée, Celtina se réveilla totalement et prêta une oreille plus attentive aux paroles décousues prononcées par la fillette. Reconnaissant le nom de Gildas, elle prit sa décision sur-le-champ : c'était le moment de s'insérer dans l'esprit de l'enfant sans trop de risques pour cette dernière.

D'ailleurs, Malaen, lui aussi attiré par la voix, était venu rejoindre les dormeuses.

– *C'est le bon moment!* confirma-t-il.

Celtina ferma les yeux et se concentra sur son souffle pour le ralentir. Pénétrer l'esprit d'une personne endormie à l'insu de celle-ci ne pouvait se faire sans précaution. La prêtresse ne pouvait laisser ses propres pensées venir se mêler à celles de l'enfant et, surtout, elle devait être d'un grand calme et se laisser guider sans jamais rien brusquer. Aucune interrogation ne serait permise. L'esprit de Kàerell devait se confier librement sans se sentir oppressé.

Les premières images qui surgirent de l'esprit de Kàerell montrèrent Gildas à la Belle Chevelure, tel que Celtina l'avait bien connu: ses longs cheveux noirs retombaient en boucles sur sa robe druidique dont la blancheur rehaussait son teint mat et ses yeux sombres. À son retour dans son village, Gildas était un jeune homme de quinze ans, enjoué, heureux de vivre.

Par les souvenirs de Kàerell, la prêtresse vit Gildas assis sous un vénérable chêne, en train de parfaire son apprentissage auprès d'un vieux druide bigerri qu'il écoutait d'une oreille attentive. Celtina sourit. Elle reconnaissait bien là le garçon studieux qu'elle avait côtoyé pendant quelques années dans la Maison des Connaissances.

Poursuivant son chemin dans les pensées de la fillette, l'adolescente découvrit rapidement que Gildas était revenu auprès des siens pour se dévouer entièrement aux Thuatha Dé Danann et à la préservation de la culture celte.

Ainsi, après avoir appris que plusieurs tribus s'étaient rendues, parfois sans combattre, aux armées de César, Gildas à la Belle Chevelure décida de se consacrer aux dieux, dans sa retraite. À son vieux maître qui achevait sa formation, il confia son vœu le plus cher :

— Je préfère vivre en ermite, loin du brouhaha de l'oppidum, et consacrer toutes mes forces et mes connaissances à la sauvegarde de notre culture et à honorer nos dieux qui m'ont confié un grand secret.

— C'est une noble cause, reconnut le vieux druide. Mais tu es si jeune. Es-tu sûr de vouloir passer toute ta vie seul dans la nature ?… Tu sais que les éléments peuvent souvent se montrer hostiles.

— Ma décision est prise ! C'est ce que je dois faire, ajouta Gildas d'un ton ferme. Je le sens. Les dieux m'ont choisi pour accomplir ce devoir. Nous, les druides, nous avons tous une mission à remplir, et celle-ci est la mienne.

Lorsque sa volonté fut connue de tous, ses parents, ses deux frères et sa petite sœur tentèrent de le faire revenir sur sa décision, mais Gildas n'en démordait pas.

– Je tiens à vivre seul. Ne vous inquiétez pas pour moi. Je suis convaincu que mes invocations aux dieux seront plus puissantes si je n'ai pas l'esprit occupé par la vie quotidienne du clan.

– Mais qu'allons-nous devenir sans druide? insista son père. Tu sais que ton vieux maître est très âgé et qu'il ira bientôt rejoindre les âmes des bienheureux dans le Síd. Il faut quelqu'un pour le remplacer auprès de nous.

– Je continuerai à vous guider de mes conseils et de ma science lorsque ce sera nécessaire, mais je préfère vivre dans l'isolement, s'entêta Gildas.

Après cette conversation, l'apprenti était resté quelques mois auprès de son vieux maître, mais lorsque ce dernier lui avait dit qu'il n'avait plus rien à lui apprendre, le jeune homme était parti dans la montagne et y avait déniché une caverne pour abriter sa solitude.

Pour se nourrir, il parcourait les bois à la recherche de baies et de noix, et les rivières poissonneuses ne manquaient pas de lui fournir ce dont il avait besoin. Même si la montagne pouvait parfois se montrer difficile, orageuse et dangereuse, surtout en hiver, il ne lui était rien arrivé de mal. Il avait choisi de vivre sobrement et était très heureux de son sort.

Un jour, alors qu'il procédait aux invocations aux Thuatha Dé Danann, il avait eu la surprise de voir apparaître Goibniu.

– Les dieux sont reconnaissants de tes attentions, lui dit le dieu-forgeron. Pour t'en remercier, nous avons décidé de te faire un cadeau dont tu auras le plus grand besoin.

Goibniu lui avait forgé une magnifique hache à double tranchant pour l'aider à couper son bois.

– Cette hache est évidemment magique, lui expliqua le dieu-forgeron. Elle est faite de l'acier le plus pur, le plus tranchant, le plus solide. Sans le moindre effort, tu pourras ainsi couper le bois le plus dur et même la pierre, si besoin est. Elle est facile à manier. Elle pourra tout aussi bien t'aider à te chauffer en hiver qu'à défendre ton clan. C'est une arme contre laquelle il sera impossible de trouver une parade.

Gildas apprécia le présent et s'en servit aussitôt pour se couper du bois, car son premier hiver en montagne approchait, et la vie en solitaire serait dure dans la caverne pour un adolescent qui venait tout juste de fêter ses seize ans.

Quelques semaines plus tard, il eut aussi l'occasion de vérifier la magie guerrière de la hache. Des Romains sur leur route de conquête parvinrent à l'oppidum de son clan et tentèrent de s'en emparer comme ils l'avaient fait de tous les villages de la région. Gildas à la Belle

Chevelure n'eut qu'à manier sa hache magique pour défendre son peuple. Seul contre tout un manipule, soit environ deux cents soldats, il réussit à sauver son clan avec bravoure et dextérité.

Dès lors, il fut reconnu comme un héros, même si cela ne comptait pas pour lui.

– Ton courage mérite les plus grands honneurs, déclara le chef de son village.

– Je n'ai fait que mon devoir, répondit-il lorsque le chef voulut le couvrir de présents. Garde tes cochons et tes chiens. Je préfère vivre humblement dans ma caverne plutôt que de recevoir des honneurs.

En découvrant ce récit de la vie de son ami, Celtina eut le cœur empli de joie. Gildas à la Belle Chevelure était un jeune druide fier de ses principes. Elle songea un instant qu'il aurait bien mérité d'être l'Élu, mais les dieux en avaient décidé autrement. Que lui était-il donc arrivé par la suite? Elle poursuivit son exploration dans la mémoire de Kàerell.

Au cœur de la nuit, elle vit la silhouette d'un être sans scrupule se faufiler dans la montagne alors que Gildas dormait paisiblement dans sa caverne. Le scélérat n'avait qu'un but, c'était évident: s'emparer de la hache magique et s'attirer tous les honneurs que le jeune homme avait refusés.

D'abord, il frappa Gildas dans son sommeil de plusieurs coups d'épée. L'apprenti druide, grièvement blessé, ne put se saisir de la hache forgée par Goibniu pour se défendre. L'assassin, pensant que Gildas à la Belle Chevelure était mort, s'empara aussitôt de la hache et abandonna sa victime dans la caverne, sans aucun remords.

Blessé et terriblement affaibli, le jeune druide se traîna dans la montagne et les bois pendant de longues heures. Son unique but était de parvenir jusqu'à son village, pour prévenir les habitants du danger que représentait un tel scélérat, maintenant armé de sa hache magique. Malheureusement, il était trop tard. Lorsqu'il parvint enfin à la palissade de l'oppidum, Gildas ne put que constater le massacre. Le meurtrier, maniant la hache des dieux, avait assassiné tous les membres de son clan. Seule la petite Kàerell avait échappé à la tuerie en se cachant dans le puits situé près de la forge.

La scène d'horreur faillit faire passer le jeune homme de vie à trépas tant le choc était immense. Mais un bruit en provenance du puits attira son attention. Se penchant au-dessus, le garçon aperçut Kàerell, sa petite sœur, terrorisée et prête à suffoquer. Mobilisant ses dernières forces, il parvint à la hisser hors du puits et à l'emmener très vite loin du village maudit. Il était temps. Le tueur était toujours dans l'oppidum et s'affairait à mettre le feu aux maisons de bois et de paille, sans doute pour faire croire à une attaque romaine.

Malheureusement, Gildas avait dépensé beaucoup d'énergie à porter sa petite sœur malgré ses terribles blessures ; il s'étendit dans la clairière pour tenter de reprendre des forces.

Celtina assista alors en pensée à la lente agonie de son ancien compagnon d'études. Elle le vit retirer sa bague verte.

– Trouve-moi une petite pierre dure et très pointue ! demanda-t-il d'une voix lasse à sa petite sœur.

La fillette fit ce qu'il demandait. Elle chercha longtemps et, après lui avoir présenté deux ou trois pierres qu'il rejeta, il en garda enfin une avec laquelle il se mit à graver des traits verticaux et horizontaux dans le chaton* de malachite, symbole de persuasion, de sa bague.

Interloquée par ce geste, Celtina quitta l'esprit de Kàerell. Elle savait que les Romains et d'autres peuples·écrivaient, mais c'était la première fois qu'elle voyait un druide le faire. Les Celtes n'écrivaient que pour échanger des informations commerciales avec les Romains ou les Grecs et, dans de tels cas, ils employaient toujours l'alphabet latin ou grec. Que pouvaient donc signifier ces traits qu'elle n'avait jamais vus auparavant ?

Elle allait réintégrer les pensées de la fillette lorsque Petite Belette entrouvrit les paupières. Celtina en conclut qu'elle devait mettre un terme à son exploration, même si de nombreuses questions restaient sans réponse. Elle sourit à l'enfant. Quelques minutes plus tard, elle lui tendit son bol d'eau chaude dans lequel elle avait fait infuser des herbes médicinales destinées à donner de l'énergie aux voyageurs. Bientôt, les deux filles et le cheval de l'Autre Monde devraient reprendre leur route à la recherche d'un village sûr.

Chapitre 5

La présence que Malaen avait détectée la veille ne tarda pas à se manifester de nouveau. Et cette fois, Celtina, sans doute parce qu'elle était bien reposée, la perçut aussi. Pendant quelques minutes, le tarpan se concentra pour tenter de déterminer de quoi il s'agissait.

– *Je n'aime pas cette présence*, transmit-il en pensée à Celtina. *L'esprit de cet individu est sombre, menaçant, méchant. Je le sens prêt à tout pour arriver à ses fins.*

– *Oui, mais de quelles fins s'agit-il? La question est là*, répliqua Celtina intérieurement. *À qui en veut-il? À moi ou à la petite? Si c'est Torlach, le sorcier fomoré, il va sûrement s'en prendre à nous tous.*

– *Je continue à le surveiller!* ajouta Malaen.

Ils poursuivirent leur route, mais ils n'avaient pas l'esprit tranquille. Dans quel piège allaient-ils tomber? Celtina en était sûre, si c'était Torlach, il allait tenter de leur tendre un guet-apens. Et le terrain s'y prêtait plutôt bien. Ils devaient passer sous des pitons rocheux, d'où il était simple de faire basculer de lourdes pierres sur leurs têtes. Malgré sa magie et ses connaissances, Celtina songea qu'il lui serait bien difficile d'intercepter un rocher de plusieurs tunnas* déboulant du haut de la montagne. Pendant de longues heures, ils demeurèrent tendus, surveillant constamment les sommets. Heureusement, malgré les appréhensions de la prêtresse, la matinée se passa sans que rien n'advînt. Alors que Grannus s'installait au zénith*, ils s'arrêtèrent au bord d'un cours d'eau pour se désaltérer, manger et se reposer.

Ils étaient sur le point de repartir, plus détendus et moins méfiants, lorsque le sorcier, qui n'avait cessé de les suivre à distance, bondit devant eux en hurlant et en brandissant la hache magique volée à Gildas à la Belle Chevelure. Personne ne l'avait entendu venir. Le fourbe avait bien pris soin de camoufler ses intentions et, surtout, il avait su tirer parti du vent qui s'était levé pour dissimuler le déplacement d'air engendré par ses mouvements et avait ainsi pu approcher le petit groupe sans se faire remarquer.

– Donne-moi l'enfant, gronda Torlach en menaçant Celtina, et je te laisse la vie sauve…

La prêtresse fit passer Kàerell derrière elle et dégaina son épée, même si elle savait que son glaive était dérisoire face à la hache forgée par Goibniu. Elle songea un instant à faire appel à Petite Furie, l'unique arme qui lui restait de l'arsenal remis pas Manannân*. Mais Torlach avait deviné son intention.

— Même l'épée du fils de l'océan ne peut rien contre la hache magique! la prévint-il. Ne fais pas d'histoires, donne-moi l'enfant et... je te laisse tranquille.

— Il n'en est pas question! répliqua-t-elle, tandis que du coin de l'œil elle surveillait Malaen. De toute façon, tu mens. Tu ne me laisseras jamais tranquille.

Le tarpan s'était déplacé derrière le sorcier fomoré de manière à pouvoir décocher une terrible ruade dans le dos du scélérat pendant que Celtina tentait de retenir son attention en lui parlant, mais Torlach pivota. Même si le cheval de l'Autre Monde et la prêtresse avaient pris soin de dresser une barrière mentale dans leur esprit, le sorcier était trop fort et trop rapide. Il avait eu le temps de lire le stratagème du tarpan.

— Pour la dernière fois, donne-moi l'enfant! aboya-t-il, menaçant.

— Non! lui tint tête Celtina.

Alors, le monstre leva son arme et visa la tête de l'adolescente. Le mouvement fut si rapide que Malaen ne put intervenir. Le tranchant se dirigeait droit au centre du triskell que la prêtresse portait au front. Mais, contre toute attente, l'arme ne toucha pas Celtina. Des lames au manche, la hache éclata en particules liquides qui inondèrent le visage de la prêtresse.

Reprenant rapidement ses esprits, Malaen, en bonne position pour effectuer sa ruade, frappa durement le fessier du sorcier et l'envoya valser à plusieurs dizaines de coudées dans le lit de la rivière. Surprise par la tournure des événements, Celtina porta la main à ses joues et goûta la substance qui s'écoulait sur son visage.

— Le goût est salé. On dirait des larmes! fit-elle, étonnée.

— *Cette hache a été détournée de sa fonction première qui était d'aider et de protéger,* lui transmit Malaen par la pensée. *Elle a préféré mettre fin à son existence plutôt que de continuer à servir le mal, et surtout plutôt que de blesser ou de tuer l'Élue.*

Des sanglots finirent par attirer l'attention de Celtina. La prêtresse se retourna pour découvrir Kàerell, prostrée sur le sol, en larmes et tremblante. Un doigt pointé vers la rivière, où le sorcier avait disparu sans demander son reste, l'enfant se mit à répéter sur un ton désespéré:

— C'est lui! C'est lui!

Surprise d'entendre la voix de la fillette et de sa volonté de communiquer malgré son traumatisme, Celtina n'eut pas l'air de saisir ce que l'enfant lui disait.

— *Torlach est sans aucun doute le meurtrier de Gildas,* intervint Malaen. *Kàerell l'a reconnu.*

— *Quel monstre! Un jour ou l'autre, il me le paiera. Au moins, il y a une bonne chose qui ressort de cette attaque lamentable. Le choc a rendu la parole à la petite, comme il la lui avait ôtée lors de l'assassinat de son frère et des membres de son clan. J'espère qu'elle pourra nous en dire un peu plus sur ce qui s'est passé.*

Celtina s'agenouilla pour serrer la fillette contre elle et la réconforter. Ce faisant, elle ne lâchait pas du regard le lit de la rivière, mais Torlach le sorcier semblait avoir temporairement renoncé à s'emparer de l'enfant.

Je me demande bien pourquoi il veut la petite, songea la prêtresse en essuyant le visage de Kàerell avec un pan de sa cape.

– *Elle doit connaître le vers d'or qui a été remis à son frère!* répondit Malaen.

Celtina adressa un clin d'œil au petit cheval. Il n'y avait pas d'autre raison possible.

– Allez, Kàerell, nous ne devons pas rester ici! Elle souleva la fillette qui s'agrippa à elle en passant ses jambes maigres autour de sa taille. Il doit sûrement y avoir un oppidum dans le coin. Il faut le trouver avant la nuit. Même s'il est rempli de Romains, tu seras plus en sécurité dans un bon lit que dans une caverne où Torlach le sorcier peut réapparaître d'un instant à l'autre.

La chance fut de nouveau avec eux. Le village qu'ils atteignirent en fin d'après-midi en était un de Campani, une tribu qui était entrée en résistance contre les Romains. L'oppidum qui se dressait à flanc de colline était bien défendu par des talus et des fossés de terre. La vue dégagée qui s'étendait à ses pieds permettait aux Campani de mieux surveiller la vallée où, dans l'herbe grasse du printemps, s'ébattaient plusieurs centaines de moutons.

Celtina jugea que Kàerell y serait en sécurité. Ce fut donc dans cet endroit qu'elle choisit de laisser l'enfant. Dès son arrivée, elle demanda à rencontrer le druide, car c'était à lui d'accepter ou non la petite Bigerri parmi eux. Le druide Harbelex était un homme plutôt jeune et fougueux. Par-dessus sa longue robe blanche, il portait une cape de laine de mouton écrue, un vêtement indispensable dans la vallée pour rester bien au chaud pendant les longues journées fraîches, en hiver et au printemps. Après de longues discussions, Harbelex accepta de garder Kàerell. Il décida même de la confier au chef du village qui avait déjà deux enfants d'à peu près le même âge.

Après s'être assurée que la petite était bien installée dans sa nouvelle maison auprès de ses parents adoptifs, Celtina demanda l'aide d'Harbelex. Elle était convaincue que la petite Bigerri détenait le vers d'or de Gildas, mais elle ne savait comment l'interroger sans la brusquer, car l'enfant était encore très fragile et pouvait se refermer comme une huître sur son secret.

– Nous pourrions employer de faibles doses de l'herbe du sommeil de Bélénos, déclara Harbelex après avoir écouté le récit de la prêtresse.

– Hum! Je ne sais pas. C'est risqué! hésita Celtina. La belenountia* peut troubler l'esprit ou, pire, se révéler mortelle.

– Utilisée de la bonne manière, elle fait perdre toute volonté… Kàerell ne pourra pas cacher son secret bien longtemps si je lui donne une goutte de ma décoction, insista le druide en commençant à broyer les graines nécessaires à la préparation de la potion.

– Je n'ai jamais utilisé cette plante, soupira la prêtresse en se tordant les mains d'indécision. La grande prophétesse nous a toujours dit de ne le faire qu'en cas d'extrême nécessité, et avec beaucoup de précautions.

– Tu penses que cette enfant connaît le vers d'or dont tu as besoin. C'est donc à toi de décider si tu as vraiment besoin de connaître cette phrase ou si tu peux t'en passer, déclara Harbelex en agitant les graines réduites en poudre sur lesquelles il fit aussitôt couler de l'eau bouillante.

Celtina se mit à faire les cent pas dans la hutte de pierres qui servait de résidence au druide. C'était une décision difficile à prendre et elle avait peur de se tromper. Elle ne voulait pas utiliser l'herbe du sommeil au détriment de la petite Bigerri. Mais d'un autre côté, pouvait-elle se passer du vers d'or? Absolument pas. Le secret des druides devait parvenir intact à Avalon pour sauver la culture celte ; chacun des vers revêtait donc une importance capitale. Il ne pouvait lui en manquer aucun.

Elle était placée devant un cruel dilemme : elle devait décider s'il était plus important de préserver une orpheline de la folie ou de sauver tout un peuple…

C'est la petite sœur de mon ami Gildas. Elle me fait confiance. Nous avons passé plusieurs jours et nuits ensemble, partageant nos repas et nos craintes. Dois-je la sacrifier au profit de ma mission ? Dagda, dis-moi ce que je dois faire.

– Je vais réfléchir, lança-t-elle finalement à Harbelex en sortant de la maison.

Le druide haussa les épaules, porta le bol contenant la mixture à la hauteur de ses yeux surmontés d'une barre d'épais sourcils noirs, fit tourner la décoction dans un sens puis dans l'autre avant de la reposer sur sa table de bois.

Celtina inspira profondément l'air frais de la vallée. Au-dessus d'elle, les pics et les aiguilles de Piren déchiraient le ciel bleu. Des rapaces survolèrent un instant les troupeaux de moutons, probablement à la recherche d'agneaux nouveau-nés à se mettre dans le bec, mais les chiens et les bergers veillaient.

Elle alla rejoindre Malaen qu'un Celte avait parqué avec les autres chevaux de la tribu, des bêtes blanches à queue noire, ayant une tête si foncée qu'on ne pouvait distinguer leurs yeux à travers leur pelage.

– Malaen, je ne sais pas quoi faire! lança-t-elle au tarpan en lui flattant les naseaux.

– Que se passe-t-il? demanda le cheval de l'Autre Monde après s'être assuré que personne ne pouvait surprendre leurs propos.

Elle lui expliqua le dilemme auquel elle était confronter.

– Tu ne sais pas comment se comportera l'esprit de Kàerell, répondit le cheval. Peut-être réagira-t-elle bien? Peut-être te confiera-t-elle sans problème le secret enfoui au fond de son esprit?…

– Tu as raison, mais s'il lui arrivait quelque chose de grave, je ne me le pardonnerais jamais, fit-elle en enfouissant son visage dans la crinière de son ami à quatre pattes.

– Les dieux t'ont-ils abandonnée jusqu'à maintenant? l'interrogea le cheval magique.

Elle le regarda droit dans les yeux.

– Non, jamais!

– Alors, pourquoi hésites-tu? Dagda sera toujours avec toi…

– Avec moi, sûrement… mais sera-t-il avec la petite Bigerri?

– Oublies-tu qu'elle est la petite sœur de Gildas à la Belle Chevelure?

– Justement, non! C'est la petite sœur de mon ami. S'il fallait qu'il lui arrive quelque chose par ma faute, j'aurais l'impression d'avoir trahi la mémoire de Gildas…

– Tu oublies que ton ami s'est fait ermite pour se consacrer aux Thuatha Dé Danann. Goibniu l'en a remercié en lui octroyant la hache magique. Les dieux étaient avec lui…

– Ils n'ont pas su le protéger de Torlach le Fomoré, ajouta-t-elle, les yeux remplis de larmes.

– Les Fomoré ont la même puissance qu'eux, c'était impossible. Mais crois-moi, ils n'abandonneront pas sa petite sœur. Aie confiance !

Une fois encore, Celtina fixa les grands yeux en amande du tarpan. Elle inspira très fort pour se donner du courage, refoula ses larmes puis, en se mordant la lèvre supérieure, elle lui répondit :

– D'accord ! J'ai confiance en toi. J'ai confiance dans les Thuatha Dé Danann…

Elle fit demi-tour et revint vers la maison du druide en se répétant mentalement, de plus en plus fort à chaque affirmation : *J'ai confiance ! J'ai confiance ! J'ai confiance !* à la fois pour se donner du courage et pour se convaincre que la petite ne courait aucun danger.

Chapitre 6

– As-tu pris une décision? la questionna Harbelex qui était en train de distribuer des plantes séchées et des conseils d'utilisation à des patients venus le consulter pour des maux de gorge, des coupures ou d'autres symptômes plus ou moins bénins.

– Oui. Je n'ai pas le choix, fit-elle, fataliste. Il faut employer la belenountia… mais avec beaucoup de précautions et, surtout, à très faibles doses.

– N'aie crainte! Je vais même tester les effets de la plante sur un cochonnet, ainsi nous serons sûrs de ne pas dépasser la dose, approuva Harbelex.

Ce qu'ils firent, malgré les hurlements du petit cochon lorsque le druide s'en saisit. Après avoir été forcé d'absorber deux gouttes de la potion, le petit animal devint brusquement faible, se coucha sur le flanc, mais visiblement il ne fut pas intoxiqué. Il respirait librement et semblait très détendu. Le druide et la prêtresse échangèrent des regards: le dosage semblait le bon. Ils allèrent retrouver Kàerell qui se reposait chez le chef du village. Prétextant lui faire prendre une décoction visant à faciliter le repos, Harbelex fit tomber les deux gouttes d'herbe du sommeil dans le fond de sa gorge. En quelques secondes, l'enfant devint toute molle, incapable de mobiliser sa volonté pour résister aux questions de Celtina.

— Kàerell, je suis obligée de te faire revivre des événements douloureux, et j'espère que tu me pardonneras, commença la prêtresse.

La petite Bigerri gardait les yeux clos, mais l'adolescente savait que la fillette l'entendait et la comprenait.

— Il faut que tu me répètes la phrase que Gildas t'a confiée, sûrement en te faisant promettre de garder le secret. Je suis l'Élue, je dois connaître ce vers d'or. Je te délivre de ton serment. Répète-moi la phrase de Gildas.

L'enfant s'agita. Son visage grimaçant trahissait ses efforts de mémoire, mais pas un mot ne franchit ses lèvres. Celtina dévisagea Harbelex. Il était impensable d'augmenter la dose d'herbe du sommeil.

— La phrase, Kàerell, rappelle-toi. Une petite phrase toute simple…

— Attention, Kàerell, vite, cache-toi! Le tueur est à nos trousses. Ici, dans ce trou, entre les racines du hêtre. Vite… par Hafgan… prends ma bague… Adieu, petite sœur…, balbutia l'enfant endormie.

— Elle revit les événements qui se sont produits dans la forêt quand Gildas l'a sauvée!

s'écria Celtina, alarmée par les souvenirs de la fillette.

Puis, s'adressant à Petite Belette, la prêtresse insista :

– La phrase, s'il te plaît, quelle est la phrase ?

– Attention, Kàerell, vite, cache-toi ! Le tueur est à nos trousses. Ici, dans ce trou, entre les racines du hêtre. Vite… par Hafgan… prends ma bague… Adieu, petite sœur, répéta mot pour mot la petite Bigerri.

– À mon avis, son frère ne lui a rien dit, intervint Harbelex. La belenountia va bientôt la plonger dans un profond sommeil qui durera plusieurs heures. On ne peut rien tirer de plus de cette enfant. Il y aurait trop de risques. Il faut la laisser tranquille maintenant.

– Ce n'est pas possible, ce n'est pas possible ! se lamenta Celtina, catastrophée. Gildas connaissait l'importance des vers d'or, il ne peut pas avoir emporté son secret dans la tombe.

– Il a peut-être confié le vers d'or à quelqu'un d'autre ? hasarda Harbelex en épongeant la sueur qui s'était accumulée sur le front de Kàerell.

– Sauf s'il se croyait l'Élu parce que Goibniu lui avait donné la hache magique, et qu'il pensait survivre à ses blessures, pensa tout haut Celtina. Il se dévouait aux Thuatha Dé Danann. Il a peut-être cru que cela suffirait pour que tous les élèves de Mona reconnaissent en lui celui qui était chargé de sauver la culture celte et viennent un jour ou l'autre lui confier leur partie du secret.

– Peut-être. Mais j'en doute, répondit Harbelex. Les dieux, dont il était devenu si proche, ont dû lui dévoiler ton identité… Pourquoi lui cacher que tu étais l'Élue alors qu'il pouvait t'être utile ?

– Je ne sais pas. Je n'y comprends plus rien ! avoua Celtina. S'il n'a pas emporté son vers d'or avec lui dans la mort, à qui l'a-t-il donc confié ?

– À un autre apprenti, probablement ! fit Harbelex.

– Tifenn ! s'exclama Celtina. Ils ont quitté Mona ensemble. Tifenn est originaire de l'oppidum de Ra, le village des Trois Déesses, de la tribu des Volques Arécomiques.

– Oh non, non ! Je sais ce que tu penses, jeune prêtresse. C'est trop dangereux pour toi d'aller là-bas, s'interposa le druide campani. Les Romains sont bien installés dans cette région. Aquae Sextiae est entièrement sous leur domination et depuis fort longtemps. C'est dans cette ville que sont vendus les pauvres Celtes qui sont faits prisonniers. Il n'y a plus rien de Gaulois chez ce peuple. Tu dois éviter cette région.

Celtina ne répondit pas. Son sang bouillait dans ses veines. Aquae Sextiae avait fait surgir des images dans son esprit. C'était sûrement dans cette importante cité commerçante que ses parents et son frère avaient été conduits. Jamais elle ne s'était sentie aussi proche d'eux. Son cœur lui disait de se précipiter dans la ville romaine pour tenter d'y retrouver une trace de sa famille, tandis que sa raison lui conseillait de s'en tenir bien loin pour ne pas risquer de tomber entre les mains des ennemis de son peuple.

– Nous devons partir, lança-t-elle brusquement à Harbelex. Je dois me rendre à la forteresse de Ra pour interroger Tifenn, et d'autant plus si Gildas lui a confié son vers d'or. Elle en aura deux à me dévoiler… Peu importent les risques, c'est ma mission.

Le druide campani lui fit mille et une recommandations. Le lendemain, dès le lever du jour, elle remplit abondamment son sac des provisions remises par les Campani, puisque Malaen pourrait les porter. Il lui faudrait plusieurs semaines de route pour parvenir à Ra et le ravitaillement risquait d'être compliqué par la présence des Romains dans tous les oppida des régions qu'elle aurait à traverser.

Elle quitta l'oppidum après avoir une dernière fois embrassé Kàerell et promit d'être prudente lorsqu'elle entrerait sur le territoire des Volques Arécomiques.

Ils avançaient depuis environ trois heures en direction du nord-est lorsque Celtina fit halte brusquement.

– Stupide! s'exclama-t-elle en se cognant le côté de la tête du plat de la main. Complètement stupide!

– Oh, je peux lire ce que tu penses, intervint Malaen. Mais tu n'en es pas sûre… Ce n'est qu'une intuition.

– Une intuition peut-être, mais imagine si c'est la vérité! Peut-être sommes-nous en train de nous éloigner du vers d'or de Gildas au lieu de nous en rapprocher. Pourquoi n'y ai-je pas pensé avant?

Elle avança encore de quelques pas, puis lâcha abruptement:

– Malaen, demi-tour! On retourne auprès de Kàerell. Je dois en avoir le cœur net, sinon cette idée va me pourrir la vie pendant des semaines… Et imagine si Tifenn n'a pas reçu les confidences de Gildas à la Belle Chevelure, nous aurons parcouru des centaines de leucas pour rien. Non, il vaut mieux nous en assurer tant que nous ne sommes pas encore trop éloignés du village campani.

Ils parvinrent dans la vallée en début d'après-midi. Les habitants du village s'affairaient à préparer les repas. S'il fut surpris de les revoir si vite, Harbelex n'en laissa rien paraître. En lisant ses pensées, Celtina vit qu'il croyait qu'elle avait fini par se ranger à ses avis et avait renoncé à se rendre chez les Volques Arécomiques.

– Je dois voir Kàerell, lui cria-t-elle sans s'arrêter pour le saluer et en se précipitant vers la maison du chef de clan qui avait adopté Petite Belette.

La fillette était attablée avec les deux enfants de la famille, en train de se régaler d'un épais ragoût de mouton lorsque, emportée par sa fougue, la prêtresse fit irruption dans la maison de pierres sèches.

– Kàerell, l'apostropha Celtina. Gildas ne t'a pas confié de vers d'or, mais il t'a remis sa bague, n'est-ce pas ?

Aussitôt, la main de l'enfant se porta à son cou. Celtina vit la bague de malachite suspendue à un cordon et que la fillette tentait de dissimuler dans son petit poing crispé.

– Kàerell… je t'en prie. Donne-la-moi ! Je devine que Gildas t'a dit de la remettre à l'Élue. Je suis l'Élue. C'est important… Je dois posséder cette bague.

La petite Bigerri secoua la tête de gauche à droite, gardant sa main droite fermement refermée sur l'objet, affichant un air buté.

– Je comprends que ce soit un souvenir très précieux à tes yeux. Il te rappelle ton frère…

Des larmes tombèrent des yeux de l'enfant. Elle les essuya avec le revers d'une manche de sa tunique.

– Écoute-moi, Kàerell. Je vais te parler comme à une grande fille, car tu n'es plus un bébé. Tu dois comprendre que c'est un objet qui ne t'appartient pas. Ce n'est pas un simple bijou. Il a été remis à Gildas par Maève, la grande prêtresse de l'île de Mona. C'est un objet qui ne doit être manipulé que par des druides ou des prêtresses. Tu ne peux pas le garder. Gildas est mort pour protéger notre culture, et cette bague en est le symbole. Je dois poursuivre sa mission et la mienne… mais, pour cela, j'ai besoin de la bague.

Celtina tendit sa main ouverte vers l'enfant. Kàerell la dévisagea, puis, en larmes, elle passa le cordon par-dessus sa tête et le lui tendit.

– C'est Gildas qui a tracé ces encoches sur la pierre…, fit la prêtresse en passant un doigt sur les traits horizontaux et verticaux gravés dans la malachite.

– Oui. C'est mon frère…, bégaya la petite, toujours secouée de gros sanglots.

– A-t-il dit pourquoi?

– Non. Il a juste dit: «Remets ceci à l'Élue. Le dieu de l'Éloquence l'aidera à comprendre.»

– C'est tout? insista Celtina.

– Oui.

Celtina avança la main pour caresser les boucles noires de la petite Bigerri, mais celle-ci s'écarta vivement et détourna le visage.

– Bonne chance, Kàerell. On ne se reverra sans doute jamais, mais je ne t'oublierai pas, lança Celtina, émue, avant de ressortir de la maison du chef de clan.

Rejoignant Malaen qui l'attendait près de la palissade qui entourait la forteresse, la prêtresse s'éloigna de l'oppidum campani. Lorsqu'ils furent suffisamment loin du village pour que personne ne l'entendît parler à son cheval, elle lui raconta ce qui s'était passé avec la sœur de Gildas.

– Toi qui viens de l'Autre Monde, lui demanda Celtina, as-tu déjà vu de telles encoches ? Que peuvent-elles signifier ?

– Non. Je n'ai jamais rien vu de tel, pas même dans le Síd. Si c'est bien un système d'écriture comme tu le penses, seul Ogme, le dieu de l'Éloquence, pourra résoudre ce mystère, conclut le tarpan.

– Crois-tu que l'écriture pourrait nous permettre de sauver notre culture ? demanda la prêtresse en examinant une fois encore la pierre vert foncé de la bague.

– Franchement, j'en doute ! Par contre, je pense que ces étranges symboles pourraient servir à dissimuler certaines idées lorsqu'on ne peut les transmettre oralement.

– C'est pour cela que nous avons fait demi-tour. Moi aussi, je crois que ces traits représentent peut-être le vers d'or et que Gildas n'a pas trouvé d'autres moyens de transmettre le secret sans risques…

– Tu as bien fait de revenir sur tes pas pour obtenir cette bague…, la félicita le tarpan. Ton intuition était bonne.

– Imagine s'il avait confié oralement la phrase secrète à Kàerell. Comment pouvait-il prévoir qu'elle survivrait pour la transmettre? Pire, elle pouvait l'oublier ou la déformer, elle est si jeune. Et si sa petite sœur était tombée entre les mains des Romains et leur avait livré le vers d'or sans s'en rendre compte… Tu imagines la catastrophe!

– Et n'oublions pas qu'elle parle dans son sommeil. Gildas a dû penser à toutes les possibilités avant de choisir celle-ci…

– Toutefois, je me demande comment je vais pouvoir déchiffrer ces encoches…, fit Celtina, songeuse, en suivant les traits du bout de l'ongle de son index.

– Ogme ne te laissera pas dans l'ignorance! Il finira bien par se manifester pour t'aider. Fais confiance aux dieux!

Celtina sourit et lui répondit, amusée:

– C'est ta phrase magique: fais confiance aux dieux!

Chapitre 7

Tout au nord de la Gaule, la fin de la saison froide signifiait aussi la reprise des activités pour les Romains qui s'étaient installés chez les Morins pour passer l'hiver.

Pendant les jours sombres, les lieutenants de César s'étaient activés et avaient fait fabriquer près de six cents vaisseaux selon les indications données par leur général lui-même. Les bateaux étaient larges et capables de transporter une multitude de chevaux, de provisions, et énormément de soldats. D'Ibérie, les Romains avaient importé du cuivre, du fer et des joncs pour fabriquer les cordages.

Toute la flotte s'était rassemblée à Portus Itius et se tenait prête à franchir la mer de Bretagne pour envahir de nouveau l'île de Bretagne située à moins de trente mille pas* des côtes, droit devant. Toutefois, avant d'entreprendre cette expédition, Jules César avait un autre problème à régler. Une nouvelle révolte couvait chez les Trévires, toujours menés par leur roi Indutionmare.

– Indutionmare tente de convaincre des Germains de se joindre aux Trévires pour nous attaquer, lui rapporta Publius Sulpicius Rufus, le commandant de Portus Itius.

– Selon des sources bien informées, il refuse d'amener les nobles de sa tribu aux assemblées que tu as ordonnées, confirma Lucius Aurunculeius Cotta.

– C'est ennuyeux tout cela, fit Publius Sulpicius Rufus. Les Trévires possèdent la plus forte cavalerie de la Gaule et beaucoup de troupes à pied… On ne peut pas laisser Indutionmare agir à sa guise.

– Je croyais que son gendre avait pris les rênes de cette tribu, s'étonna Jules César.

– Cingétorix n'est guère populaire parmi les Trévires, ajouta Cotta. Heureusement, parmi ceux qui l'appuient, nous pouvons compter sur plusieurs espions. C'est justement l'un d'eux qui nous a prévenus des préparatifs d'Indutionmare.

– Je pars avec quatre légions et huit cents cavaliers, sans bagage, décida Jules César. Il faut régler ce problème avant de s'embarquer pour l'île de Bretagne, je ne peux pas laisser des ennemis agir dans mon dos en mon absence.

Deux jours plus tard, le général romain quitta Portus Itius à la tête de sa petite armée. Apprenant cela, Cingétorix vint aussitôt à sa rencontre à la tête d'une délégation de nobles trévires. Ils se rencontrèrent à mi-chemin.

– Nous t'assurons que les Trévires sont les amis des Romains, jura Cingétorix. Nous n'entreprendrons rien contre toi, César. Les Trévires sont occupés à ensemencer leurs champs et ont d'autres préoccupations que de mener une guerre contre Rome.

– Ce ne sont pas les nouvelles que m'ont communiquées mes espions, le rabroua le général. On me rapporte qu'Indutionmare a mis à l'abri femmes et enfants dans la profonde forêt d'Arduina, qu'il a levé sa cavalerie et son infanterie, et qu'il se prépare à la bataille.

Refusant d'écouter les supplications du chef de guerre Cingétorix, César continua de faire avancer rapidement ses troupes en direction de Treviris, la capitale trévire.

Quelques jours plus tard, constatant que la plupart des nobles de sa tribu et de ses clients* s'étaient joints à Cingétorix, et craignant d'être abandonné de tous, Indutionmare dut se résoudre à déposer les armes et à se rendre en personne auprès de César pour renouveler le serment d'allégeance des Trévires à Rome. Mais le général romain n'était pas dupe*, il devinait pourquoi le roi trévire faisait tout à coup amende honorable*. Cependant, lui-même n'avait pas envie de passer l'été dans la région à mater une nouvelle rébellion. Il avait des projets plus intéressants dans l'île de Bretagne. Il ordonna donc à Indutionmare de lui livrer deux cents otages, dont son propre fils et toute sa famille. Puis, il destitua Indution-mare et confia la royauté à Cingétorix pour le remercier de sa fidélité à Rome. Évidemment, la haine des Romains fut encore plus exacerbée dans le cœur du roi déchu et Indutionmare jura de venger cet affront dès que le moment s'y prêterait. Pour le moment, il n'avait d'autre choix que de se plier à la volonté de César.

Le général romain renvoya ensuite les Trévires à leurs champs et retourna à Portus Itius où une bien mauvaise nouvelle l'attendait.

– Les soixante navires de combat que nous avons fait construire par les Meldes ont été pris dans une tempête et ont dû rebrousser chemin, lui annonça Rufus dès son arrivée.

– Et les autres bâtiments? demanda César, contrarié.

– Ils sont tous prêts, le rassura Rufus.

– La cavalerie gauloise de nos alliés est aussi rassemblée, intervint Cotta.

– Combien d'hommes? l'interrogea le général.

– Quatre mille cavaliers… Presque toute la cavalerie gauloise sera avec nous. Selon tes ordres, nous ne laisserons en Gaule que ceux dont nous sommes absolument sûrs.

– Très bien. Fais venir Dumnorix des Éduens. Je le veux à mes côtés, fit César. Je connais son goût de l'aventure, son courage et sa soif de pouvoir. En plus, il jouit d'une excellente renommée auprès des Gaulois. Il sera un excellent auxiliaire, tous le suivront avec ardeur.

– Oui, le frère de ton ami le divin druide Diviciacos nous sera d'une grande aide, confirma Rufus. Il possède sa propre cavalerie et ses hommes sont bien entraînés.

Lucius Aurunculeius Cotta s'empressa d'aller chercher le vergobret éduen, dont le nom signifiait « Roi ténébreux ». Mais, contrairement aux attentes de César, Dumnorix n'avait pas très envie de s'embarquer pour l'île de Bretagne.

– Hum ! Merci de ta confiance, César. Mais je ne ressens pas tellement d'attrait pour la navigation, expliqua Dumnorix sur un ton qu'il voulait rendre le plus amical possible. Les Éduens ne sont pas un peuple de marins. Je dois t'avouer que j'ai peur de l'eau, ajouta le chef de guerre, feignant la frayeur.

– Voyons ! fit le général, ironique, mais qui surtout ne croyait pas un mot de ces piètres excuses. Un valeureux guerrier de ta trempe…

– C'est à cause d'une geis, insista Dumnorix. Il m'est interdit de traverser une étendue d'eau sur un bateau…

César éclata de rire et passa un bras autour des épaules de son hôte pour l'entraîner vers le port bourdonnant d'activités. Des Romains, des Gaulois ralliés à sa cause et des esclaves s'affairaient à embarquer tout le nécessaire pour l'expédition.

– Une geis? Ne me dis pas que toi, un si valeureux chef, un ami si proche de Rome, tu crois encore à ces âneries religieuses? Même ton cher frère Diviciacos a renoncé à propager ces sornettes, s'amusa Jules César.

Dumnorix baissa les yeux. Même si son peuple avait été parmi les premiers à se rallier à Rome, les croyances et la culture celtes étaient encore vivaces dans le cœur et l'âme des Éduens. Le chef de guerre ne supportait pas qu'on raillât ainsi sa foi dans les dieux et que l'on se moquât des interdits.

– Je te rappelle simplement que mon frère Diviciacos est dit le divin, répliqua le Roi ténébreux. Ce qu'il te dit en face et ce qu'il fait derrière ton dos, tu ne le sais pas! Le divin ne trahira jamais notre culture…

– Et moi, je te rappelle que Diviciacos est notre plus fidèle allié! répliqua le général dont la poigne de fer étreignit violemment l'épaule droite de Dumnorix. C'est le nouveau vergobret que j'ai choisi pour te remplacer à la tête des Éduens, tu lui dois obéissance. Et puisque tu tiens tant aux bêtises de ton ancienne religion, tu dois te soumettre devant lui car, comme tu l'as si bien dit toi-même, Diviciacos est druide.

– Tu auras besoin de bons guerriers pour surveiller la Gaule en ton absence, reprit Dumnorix, qui ne voulait vraiment rien entendre d'une expédition en mer et cherchait à n'importe quel moyen par éviter de mettre les pieds sur un bateau. Je peux m'assurer que tout se passe bien ici pendant que tu seras de l'autre côté de Mor-Breizh.

– Dumnorix, Dumnorix! Me prends-tu pour un simple d'esprit? tempêta César. Autrefois, tu as comploté avec Orgétorix des Helvètes et Casticus des Séquanes pour t'emparer du pouvoir dans vos tribus respectives et enfin dans toute la Gaule. Me crois-tu assez stupide pour te laisser recommencer en mon absence?

– Mais non…, bredouilla le Roi ténébreux, inquiet que ses ambitions soient si facilement mises au jour par son ennemi.

– Et je n'oublie pas non plus que tu as usé de ton influence sur ton peuple pour empêcher la livraison de blé que vos tribus avaient promise, poursuivit Jules César. Je t'ai pardonné en raison de mon amitié avec ton frère Diviciacos, mais je te garde à l'œil. Je préfère te savoir à mes côtés sur l'île de Bretagne, plutôt que de te laisser comploter dans mon dos. Ne pousse pas ta chance trop loin.

Dumnorix ne répondit rien à la menace à peine voilée du Romain, car déjà son esprit rebelle était en train d'élaborer un autre plan pour éviter de suivre Jules César au-delà de la mer.

Dès le lendemain de cet entretien, le Roi ténébreux s'employa à rencontrer les autres chefs de guerre rassemblés à Portus Itius. Il les prit à part un à un et leur tint un langage guerrier.

– Pourquoi pensez-vous que Jules César veut vous emmener au loin? demanda-t-il à chacun. Ce n'est pas pour que vous puissiez vous couvrir de gloire. Non, si le général romain emmène toute la noblesse de Gaule, c'est parce qu'il a l'intention de nous faire tous assassiner, loin des yeux de notre peuple. Ensuite, il aura beau jeu de raconter que l'on est mort en braves, à la bataille. Personne ne viendra le contredire.

À d'autres chefs, il fit jurer de faire ce qu'il jugerait bon pour la Gaule, et ce, dès qu'il en donnerait l'ordre.

– Voyez, ajouta-t-il à l'intention de ceux qui hésitaient. Ça fait vingt-cinq jours que les dieux lèvent les vents pour empêcher l'armée romaine de prendre la mer. Son expédition est combattue par les Tribus de Dana, mais, vous, que faites-vous pour la ralentir ou mieux l'empêcher?

Ainsi, Dumnorix s'employa à soulever les chefs de tribus pour les rallier à sa rébellion. Évidemment, ses propos ne pouvaient guère rester secrets. Les espions de César lui rapportèrent fidèlement les paroles du Roi ténébreux.

– J'ai besoin des chefs éduens, rageait le général romain en faisant les cent pas dans sa tente alors que son fidèle centurion, Titus Pullo, venait de lui faire son plus récent rapport sur les activités du guerrier rebelle. Je tiens son pays en grande considération, mais je ne peux pas laisser Dumnorix saper mon autorité auprès des autres.

– Tu m'avais demandé de te tenir informé des prévisions du temps, César. Eh bien, les vents sont tombés depuis environ une heure, intervint Titus Pullo.

– Enfin une bonne nouvelle ! s'exclama le général. Que l'on fasse embarquer les troupes et les cavaliers avec leurs montures… Les Gaulois en premier !

Dans la plus grande confusion, les soldats et les chevaux furent menés à bord des vaisseaux de transport. Ce qui ne se fit pas sans peine, car les bêtes gauloises n'avaient pas l'habitude de mettre les pattes sur des pontons branlants et des ponts agités par les vagues.

Profitant du désordre, Dumnorix jugea le moment approprié pour fausser compagnie aux Romains. Il rassembla sa cavalerie et s'élança à bride abattue vers Bibracte, l'oppidum du Castor, sa chère capitale.

– Dumnorix s'est enfui ! hurla à pleins poumons Titus Pullo lorsque, paniqué, il s'aperçut que l'homme qu'on l'avait chargé de surveiller ne se trouvait nulle part.

On chercha activement la cavalerie éduenne mais, bientôt, il fallut se rendre à l'évidence :

tous avaient déserté. Lorsque César fut informé de ce fait, il entra dans une rage terrible.

– Le départ est suspendu! hurla-t-il dans les oreilles de Publius Sulpicius Rufus.

Puis, sortant de sa tente comme une furie, il se précipita vers les cavaliers qui poursuivaient leur embarquement.

– Où est le commandant de ma cavalerie? vociférait-il en parcourant le camp, cherchant partout le préfet Caïus Volusenus Quadratus.

– Toi, là! fit César en découvrant Aulus Ninus Virius qui dirigeait les opérations d'embarquement de son contingent.

– Oui, César! fit Aulus en se précipitant vers le général.

– En selle. Poursuis Dumnorix et sa troupe, puis ramène-les. Si l'Éduen résiste ou refuse d'obéir, tue-le! Et fais-en autant à tous ceux de sa troupe qui chercheront à l'imiter.

Puis, se tournant vers son secrétaire qui le suivait pas à pas pour recueillir ses paroles et ses pensées, Jules César lança:

– Écris, Hirtius. César n'a rien à attendre de bon d'un homme qui néglige ses ordres en sa présence.

Dumnorix n'était pas encore très éloigné de Portus Itius lorsque Aulus le rattrapa. Le jeune commandant somma le chef éduen de faire demi-tour sans tarder et le menaça de représailles en cas de désobéissance, mais le

Roi ténébreux se tourna plutôt vers sa troupe pour l'exhorter à se battre.

– Cavaliers éduens, montrez votre bravoure! Suivez-moi!

Alors, s'élançant en tête de sa cavalerie, l'épée brandie, Dumnorix chargea les cavaliers romains en hurlant à plusieurs reprises: «Je suis un homme libre et j'appartiens à une nation libre!»

– Isolez Dumnorix et encerclez-le, ordonna Aulus.

Les troupes romaines étaient habituées à agir sur-le-champ, avec rapidité et efficacité. En quelques minutes, le Roi ténébreux se retrouva seul au milieu d'un groupe de cavaliers romains. Qui lui porta le premier coup? Nul ne put le dire par la suite. Mais conformément aux ordres reçus de César, le valeureux cavalier éduen fut transpercé de toutes parts par les glaives de ses ennemis. Pendant quelques secondes, la stupeur s'empara des cavaliers éduens, mais finalement Aulus Ninus Virius s'adressa à eux:

– Demi-tour, guerriers éduens! Rentrons auprès de César.

Personne parmi la troupe qui avait suivi Dumnorix n'osa s'élever contre cet ordre. Les Éduens suivirent docilement les Romains vers Portus Itius, abandonnant aux charognards le corps de leur valeureux et rebelle chef de guerre.

CHAPITRE 8

Dès le lendemain, au coucher du soleil, César s'embarqua avec cinq légions et deux mille cavaliers. Avant de partir, il donna ses ordres à son légat Titus Labienus :

– Je te laisse trois légions et deux mille cavaliers pour garder les ports. Tu veilleras à rassembler des provisions et à en prendre le plus grand soin. Méfie-toi des pillards. De plus, tu devras continuellement te renseigner sur ce qui se passe en Gaule, sur ce qui se dit, sur la façon dont les tribus se comportent… Je compte sur toi !

Toutefois, cette nuit-là, poussé par un vent violent venu des côtes d'Afrique, le convoi de bateaux dériva. César s'aperçut alors que l'île de Bretagne s'éloignait sur sa gauche au lieu de se rapprocher. Faisant rétablir la direction, grâce à la force de ses rameurs et en bénéficiant du reflux, il réussit à reprendre la bonne route. Droit devant se dressaient les côtes qu'il avait déjà abordées l'année précédente. Il était environ midi lorsque, enfin, le convoi toucha terre.

– Où sont donc les Cantiaci ? s'étonna César en observant la côte.

En effet, aucun Celte n'était en vue. Étonnés, mais surtout libres de leurs mouvements et ne craignant pas d'être attaqués, les soldats romains débarquèrent et établirent leur campement. Un petit détachement piqua une pointe de reconnaissance dans la campagne environnante et s'empara de paysans en train de préparer leurs terres. On les interrogea.

– Il y avait beaucoup de guerriers cantiaci sur la plage, à l'aube, avoua un jeune berger. Mais quand ils ont vu tous vos vaisseaux, ils ont pris peur et se sont retirés sur les hauteurs.

Jules César sourit ; son premier but était atteint. La seule vue de ses huit cents navires, les nouveaux et ceux récupérés de l'année précédente, avait suffi à impressionner les Celtes ; pour lui, tout cela était d'excellent augure.

– L'expédition commence bien, griffonna Hirtius sur son papyrus.

Une fois la construction du camp achevée, c'est-à-dire trois jours après le débarquement, le général décida de laisser dix cohortes et trois cents cavaliers pour en assurer la garde, puis de marcher au-devant de l'ennemi.

– Quintus Atrius, je te charge de veiller sur nos navires… Je ne crains pas vraiment les Celtes, mais il vaut mieux prévenir…

Sur son beau destrier blanc, droit et fier, Jules César prit la tête de son détachement et s'élança sur les terres des Britons. Ce fut après avoir parcouru douze mille pas, au cœur de la nuit, que ses éclaireurs l'avertirent que l'ennemi était tout près, non loin du village de Duroverno qu'ils avaient déjà eu l'occasion de voir l'année précédente.

La cavalerie et les chars de guerre celtes étaient postés sur les rives d'une rivière et barraient la route à César. Les guerriers étaient prêts à livrer bataille.

César n'hésita pas une seconde et, à peine arrivé sur les lieux, il lança sa cavalerie romaine et ses auxiliaires gaulois à l'assaut des Cantiaci. Le choc fut rude, mais les envahisseurs parvinrent à percer les rangs des défenseurs sans trop de problèmes. Déstabilisés par la force de leurs ennemis, les Britons coururent se réfugier dans les bois qui leur offraient un formidable refuge naturel. Les guerriers avaient aussi pris soin d'aménager leurs abris, car il n'était pas rare que des guerres éclatent entre les clans et ils avaient pris l'habitude de se cacher dans cette forêt. Ils avaient donc abattu des arbres et s'en étaient servis pour obstruer toutes les trouées dans les bois par lesquelles des groupes armés pouvaient avancer. Cachés dans les sous-bois, les Cantiaci pouvaient ainsi tirer sur leurs ennemis, bien dissimulés et abrités derrière les troncs. Et ils ne s'en privèrent pas.

Après avoir subi les traits des guerriers britons pendant quelques heures, César perdit patience. Il ordonna aux soldats de la

VIIe légion de passer à l'action. Les hommes formèrent aussitôt la tortue. Cela consistait pour les soldats à serrer les rangs et à joindre leurs boucliers au-dessus de leur tête de façon à former une carapace, comme celle d'une tortue. Cette manœuvre était si efficace que même si les Cantiaci essayaient de projeter de lourds objets, par exemple des pierres ou de lourdes branches sur les soldats, rien ne pouvait transpercer cette protection de boucliers.

La VIIe légion s'enfonça donc dans les bois et parvint à faire sortir les guerriers britons de leurs ravins, de leurs trous, de derrière leurs arbres abattus. Devant une telle offensive, les Cantiaci abandonnèrent le terrain et s'enfuirent. César ordonna alors aux Romains de se replier et de ne pas poursuivre les fuyards, car il craignait une embuscade un peu plus loin. Par ailleurs, le soir tombait et il n'était jamais bon de faire la guerre en pleine nuit dans un pays inconnu. Il préférait retourner au campement pour s'assurer que tous les soldats allaient s'employer à le fortifier.

Dès le lever du soleil, le lendemain matin, il reprit la tête de sa troupe et se lança à la poursuite des guerriers britons. Tout le jour, ils cherchèrent en vain les fuyards, mais ils n'en virent aucun. Comme ils s'étaient beaucoup éloignés du campement, ils passèrent la nuit dans le village de Duroverno, abandonné par ses habitants, et dont le général allait dorénavant se servir comme point de départ pour ses longues marches dans le pays.

Au petit matin, alors que des éclaireurs romains avaient retrouvé la trace des guerriers cantiaci et que César s'apprêtait à reprendre le combat, un messager sur un cheval essoufflé apporta de mauvaises nouvelles de Quintus Atrius.

«Cette nuit, une violente tempête s'est levée, écrivait Atrius. Presque tous nos vaisseaux ont été rejetés sur la côte. Les ancres et les cordages n'ont pas pu résister à la force du courant. Les bateaux se sont heurtés les uns aux autres et ont été très endommagés.»

– Pullo, rappelle les légions et nos cavaliers, nous retournons sur nos pas, hurla César, rendu fou furieux par cette nouvelle qui l'empêchait de poursuivre sa conquête.

Quelques heures plus tard, de retour sur la plage, le général constata lui-même les dégâts. Quarante bateaux étaient complètement détruits, d'autres nécessitaient des réparations, certaines majeures.

– Que tous les soldats disponibles se mettent à l'œuvre, dit-il à Pullo. Hirtius, j'ai un message à faire parvenir à Titus Labienus à Portus Itius. Écris: il doit me faire construire le plus de navires possible, qu'il emploie tous les soldats dont il n'a pas absolument besoin pour défendre les ports. Pullo, je veux aussi que tous nos navires soient tirés sur la plage…

– Mais c'est un travail de titan, s'exclama le centurion, abasourdi.

– Je me moque de la difficulté et de la tâche que ça exige, poursuivit fermement César. Il faut rassembler tous les bateaux sur la grève et les réunir. Les navires brisés seront employés pour nos fortifications, les autres seront rassemblés dans le camp.

Pendant dix longues journées, de jour comme de nuit, tous les soldats non nécessaires à la défense du camp prirent part à ce travail terriblement exigeant, sans se plaindre ni prendre le moindre repos.

– Bien, fit enfin leur général en terminant l'inspection de son nouveau camp fortifié. Et maintenant, en selle. Atrius, je te laisse les mêmes troupes. Pullo, les autres viennent avec moi !

Avec sa cavalerie devant et ses fantassins derrière, César retourna à l'endroit même où il avait dû faire demi-tour dix jours plus tôt. Mais, cette fois, une surprise de taille l'attendait : le terrain était occupé. Les guerriers britons étaient même beaucoup plus nombreux qu'auparavant. Eux aussi avaient mis à profit ces dix jours de répit ; ils avaient même pris soin de donner le commandement à un unique chef de guerre : Cassivellaunos, le roi des Catuvellaunes.

C'était un grand pas en avant dans la mentalité des Celtes de l'île de Bretagne, car autrefois les tribus britonnes s'entre-déchiraient. Mais l'arrivée des Romains avait réussi à rassembler les ennemis d'hier contre le nouvel envahisseur. Et pour la première fois de leur histoire, ils s'étaient choisi un chef commun.

Après avoir observé son ennemi, Cassivellaunos envoya ses cavaliers et ses chars de guerre. Le combat fut rude, mais les Romains, beaucoup plus expérimentés et habitués à combattre ensemble, réussirent à repousser les Celtes dans les bois et sur les collines.

– Deux centuries avec moi ! hurla le centurion Pullo en s'élançant derrière les fuyards.

Mais il comprit vite que c'était justement ce que le roi des Catuvellaunes espérait. La plupart des hommes des deux centuries furent tués dans des embuscades tendues par les Celtes. Pullo eut la chance de s'en sortir et revint, penaud, à Duroverno.

Pendant quelques jours, les Romains n'eurent plus aucune nouvelle des Celtes et ils relâchèrent leur surveillance pour mieux s'occuper des fortifications que César avait demandé de dresser autour de l'oppidum. Mais Cassivellaunos n'était pas bien loin et lança ses guerriers à l'assaut du camp romain.

César qui, entre-temps, était retourné auprès d'Atrius, envoya immédiatement du renfort à

Duroverno. Le tribun Quintus Labérius Durus fut chargé de reprendre le camp en main. Il fit placer ses soldats en position, ne laissant qu'un petit intervalle entre eux… C'était bien la première fois que les Romains étaient ainsi disposés, et les soldats, étonnés, eurent du mal à se placer selon les exigences du tribun. Cela ne passa pas inaperçu aux yeux perçants de Cassivellaunos. Il jeta ses cavaliers entre les cohortes, sans presque aucun dommage pour ses guerriers, causant de grands dégâts dans les rangs romains, notamment la mort de Quintus Labérius Durus. Les Romains durent faire appel à d'autres troupes pour repousser les Britons.

— Nos soldats sont chargés d'armes pesantes et ne peuvent poursuivre l'ennemi, se plaignit Pullo dès le lendemain lorsque César revint à l'oppidum. Quand les Britons se retirent, les cohortes n'osent pas s'éloigner.

— Qu'on utilise la cavalerie, décréta le général.

— C'est très dangereux pour les cavaliers, expliqua le lieutenant Caïus Trébonius. Les Britons font semblant de s'enfuir et attirent les nôtres loin des fantassins. Ensuite, ils sautent en bas de leurs chars et engagent un combat qui est vraiment trop inégal. Et ils ne combattent jamais en groupe, mais par petites sections. De plus, on a constaté qu'ils ont créé des postes de réserve où ils peuvent se replier et ainsi remplacer des combattants épuisés par des forces fraîches.

Le lendemain, César constata que les Britons s'étaient établis sur les collines, assez loin de Duroverno. Ils ne se montraient que par petits groupes et attaquaient les cavaliers avec moins de vigueur. César jugea que le moment était bien choisi pour envoyer trois légions et toute la cavalerie trouver du fourrage pour les animaux et des vivres pour les soldats. Caïus Trébonius prit le commandement du détachement.

Les cavaliers étaient en train de laisser leurs chevaux fourrager dans les plaines lorsque les Celtes fondirent sur eux. Battant aussitôt le rappel de sa troupe, Trébonius mit les Britons en déroute, puis il ordonna de poursuivre les survivants jusqu'au moment où ceux-ci se retrouvèrent face aux légions. Cette fois, le choc fut violent et le massacre, terrible. Les alliés des Catuvellaunes venus des quatre coins du pays prirent peur et s'enfuirent.

– On ne les reverra pas de sitôt ! soupira Cassivellaunos en songeant que plus jamais il ne pourrait compter sur des forces aussi importantes.

De son côté, Jules César, souriant, eut une idée. Il allait combattre son principal ennemi sur ses propres terres, tout près d'un fleuve appelé Temesis, du nom de la déesse des Eaux fraîches. Il donna aussitôt l'ordre à ses troupes de se mettre en marche.

Deux jours plus tard, à son arrivée, il put constater que Cassivellaunos ne s'avouerait pas facilement vaincu : ses hommes étaient massés de l'autre côté du fleuve. La rive était protégée par une palissade de pieux acérés.

– D'autres pieux sont plantés dans le lit de la rivière, se vanta un prisonnier. Tu ne passeras pas !

César n'avait pas l'habitude d'être défié de la sorte. Il envoya sa cavalerie et ses légions. Ses hommes s'enfoncèrent avec tant de rapidité et d'impétuosité dans le fleuve que les Britons, surpris, reculèrent. Cassivellaunos n'était pas habitué aux batailles rangées, alors il renvoya ses guerriers, ne gardant près de lui que quatre mille hommes combattant sur leurs chars. Et il se mit à harceler les Romains en se cachant dans les endroits les plus boisés et les plus impénétrables. Il réussissait toujours à prévoir par où les légions devaient passer et les attendaient de pied ferme. Dès que les cavaliers romains s'éloignaient du reste de la troupe pour piller et dévaster le territoire, le Briton lançait ses chars contre eux. Au bout de quelque temps, César dut interdire à la cavalerie de s'éloigner. Ses hommes se contentèrent de brûler les villages et les champs, sans livrer combat.

Un matin, alors que la colonne se mettait en branle pour, encore une fois, aller ravager le pays, des émissaires vinrent trouver le général romain.

– Les Trinovantes ? s'étonna César. N'est-ce pas le peuple le plus puissant de l'île de Bretagne ?

– Ce sont ceux du clan du jeune Mandubracios qui est venu demander ton aide à Portus Itius, précisa Aulus Hirtius.

– Ah oui! se rappela César. Mandubracios. Celui dont le père était autrefois roi des Trinovantes, mais qui a été tué par Cassivellaunos. Le garçon a fui pour éviter la mort à son tour…

– Exactement! confirma le secrétaire.

– Et que demandent-ils? le questionna le général, qui était en train de se faire masser par son esclave gaulois Licinius tout en prenant son petit-déjeuner.

– Ils promettent de se soumettre et de t'obéir en échange de ta protection. Ils te demandent aussi de renvoyer Mandubracios parmi eux pour qu'il devienne leur roi.

César prit le temps de piquer une datte dans le plat devant lui, de bien la mastiquer et de l'avaler avec délectation, puis il essuya ses doigts collants à un linge fumant parfumé d'eau de fleur d'oranger que Licinius venait de retirer d'un récipient posé sur des braises.

– C'est bon! fit-il. Dis-leur que je veux aussi quarante otages et du blé pour l'armée. Et écris à Portus Itius pour que Titus Labienus renvoie le jeune Mandubracios le plus rapidement possible. Et maintenant, Hirtius, il est temps de recommencer à écrire mes observations. Prends ta plume.

Étendu sur sa couche, poursuivant son repas à base de fruits confits, de noix et de fromage frais, le général romain dicta ses commentaires à son secrétaire qui fit courir son calame* trempé dans l'encre sur le fin papyrus.

« *L'intérieur de l'île de Bretagne est peuplé d'habitants indigènes, tandis que sur les côtes vivent des peuples venus de Belgique pour piller et faire la guerre et qui finalement se sont installés. C'est pour ça qu'on retrouve les mêmes noms de peuples d'un côté et de l'autre de la mer. L'île est bien peuplée et les maisons ressemblent à celles des Gaulois. Le bétail est nombreux. Ils se servent de monnaie de cuivre, d'étain et d'or. Dans certaines régions, on trouve de l'étain et du fer sur les côtes. On y recense beaucoup d'arbres, d'essences variées, mais pas de hêtres ni de sapins. Comme tous les Celtes, ils ne consomment pas de lièvres, de poules ou d'oies qu'ils considèrent comme des animaux sacrés ou défendus. Ils en élèvent cependant, probablement pour leur amusement. Ici, le climat est meilleur qu'en Gaule et les hivers semblent moins rigoureux. L'île de Bretagne ressemble à un triangle. D'un côté, on peut voir la Gaule ; de l'autre, c'est l'Hibernie, et il y a de nombreuses petites îles, dont une à mi-chemin qu'on appelle Mona. De tous les Britons, les plus civilisés sont les Cantiaci. Leur façon de vivre ressemble beaucoup à celle des Gaulois. Les peuples de l'intérieur du pays ne sèment pas de blé ; ils vivent de lait et de viande et sont vêtus de peaux de bêtes. Tous les Britons se teignent le visage avec du pastel, ce qui leur donne un aspect horrible. Ils portent les cheveux longs.* »

Les Trinovantes se plièrent très rapidement aux exigences de Jules César et livrèrent, tel que le général le demandait, quarante otages, des vivres pour les soldats et du fourrage pour les animaux. En échange, le Romain replaça la souveraineté entre les mains de Mandubracios et lui assura sa protection contre quiconque voudrait de nouveau s'en prendre à lui. Constatant cela, d'autres peuples britons envoyèrent des émissaires à Jules César ; les Cénimagnes, les Ségontiaques, les Ancalites, les Bibroques et les Casses décidèrent de changer de camp et d'appuyer les Romains contre Cassivellaunos. Plusieurs tribus reprochaient au roi des Catuvellaunes de vouloir s'approprier la royauté sur l'ensemble du pays et ils le trahirent.

– Cassivellaunos s'est retiré dans un endroit protégé par des bois et des marais. Il a emmené un grand nombre d'hommes et de bestiaux. Cette place forte est entourée d'un rempart et d'un fossé. Les Catuvellaunes ont l'habitude de s'y protéger contre les incursions, expliqua un chef de guerre cénimagne.

Dès le lendemain, Jules César envoya ses légions à l'endroit indiqué par les Britons. Il y trouva effectivement un lieu parfaitement défendu par la nature et par les fortifications que les Catuvellaunes avaient dressées au fil des ans. Les Romains se lancèrent donc à l'attaque sur deux fronts. Les Catuvellaunes résistèrent du mieux possible, mais ils furent rapidement débordés. Ils réussirent toutefois à s'enfuir, même si de nombreux guerriers furent pris ou tués. Cassivellaunos tenta alors le tout pour le tout.

– Que des messagers se rendent auprès des quatre rois Cingétorix, Carvilios, Taximagulos et Ségovax des Cantiaci. Ils doivent rassembler toutes leurs troupes et attaquer à l'improviste le camp où les Romains ont enfermé leurs vaisseaux, cria-t-il à son principal lieutenant, le chef de guerre Lugotorix.

Deux jours plus tard, la grande armée des Britons déferla sur le camp défendu par Atrius. Toutefois, les Romains mieux armés et mieux entraînés surent se défendre avec ardeur. Ils s'emparèrent même de Lugotorix.

Cette défaite eut raison du moral du roi Cassivellaunos. Son territoire était ravagé et, surtout, la plupart des peuples s'étaient maintenant ralliés à César. Il se sentait seul et abandonné. Comme tant d'autres avant lui, le Briton déposa les armes et se rendit.

– J'exige des otages pour sceller cet accord, répondit César aux Britons. De plus, chaque année, l'île de Bretagne devra fournir de l'or, de l'étain, du cuivre, du fer et des vivres au peuple romain. J'interdis également tout acte d'hostilité contre Mandubracios et les

Trinovantes, à défaut de quoi je reviendrai vous exterminer jusqu'au dernier. J'espère que mes propos sont clairs.

Ils l'étaient. Les Britons se soumirent et César put retourner en Gaule où, en son absence, la révolte s'était remise à gronder de nouveau.

Chapitre 9

Pendant que César se lançait à la conquête de l'île de Bretagne, Celtina se dirigeait vers la forteresse de Ra, le village des Trois Déesses, de la tribu des Volques Arécomiques. Comme l'avait fait Kàerell, elle portait la bague de Gildas attachée à un cordon autour de son cou. Un instant, elle avait songé à la mettre dans son sac de jute, avec la sienne. Toutefois, elle ne maîtrisait pas parfaitement le secret des gemmes*. Comment la malachite, symbole de persuasion, et la turquoise, qui représentait la régénérescence du corps et était un puissant talisman contre le Mal, allaient-elles réagir si elles se retrouvaient en contact étroit? La jeune prêtresse se demandait si leur puissance n'allait pas se neutraliser l'une l'autre. Si elle avait besoin de sa pierre pour se protéger, celle-ci risquait d'être désactivée et de ne plus lui procurer qu'une illusion de protection.

Maève a confié ces bagues à chacun de ses élèves, en fonction de leurs caractères. La mienne peut servir à me protéger contre le Mal. Mais il me semble que la bague de Gildas n'a aucun pouvoir protecteur, songea-t-elle en suivant

Malaen qui choisissait les sentiers les moins difficiles.

– Tu te trompes, Celtina, intervint le tarpan qui avait suivi le fil de ses pensées. La persuasion a certainement pu aider Gildas au cours des mois. Un druide, même un apprenti, doté de cette qualité, peut convaincre autrui, même son pire ennemi, à faire ce qu'il a décidé de lui faire faire.

– Malheureusement, cela ne l'a pas aidé face à Torlach…

– Il n'y a pas grand-chose qui aurait pu lui venir en aide face au sorcier fomoré, tu l'as constaté toi-même. Ne sois ni triste ni amère, chacun doit suivre son krwi* sans tenter de s'y soustraire. Les épreuves que Gildas a subies l'ont conduit à la libération de son âme.

Celtina soupira. Sa nature lui causait parfois quelques difficultés à accepter sans discuter certains aspects particuliers de l'enseignement druidique. C'était le cas du krwi, qui prônait que le caractère d'un individu, ses dons et ses faiblesses, mais aussi ses envies et ses pulsions, n'étaient que le résultat de ses expériences vécues, en bien ou en mal. Tout cela formait la personnalité. De plus, les krwis de chacun, une fois associés, participaient à l'évolution de la société. Pour les Celtes, la vie se poursuivait après la mort telle qu'elle avait été du vivant du défunt. Ainsi, il n'était pas rare qu'un Celte qui devait de l'argent ou un service à un parent ou à ami lui donne rendez-vous dans le Síd pour le rembourser. De même, les haines et les conflits entre individus pouvaient se poursuivre et se régler dans l'Autre Monde. Tel était un autre aspect du krwi.

En pensant à cela, Celtina sentit son cœur s'emballer. Heureusement que Gildas n'avait pas eu l'idée de garder son vers d'or pour lui et de ne le lui transmettre que dans l'Autre Monde… Ce n'était pas un endroit qu'elle tenait à fréquenter de nouveau ni de sitôt, surtout depuis que la cockatrice l'y avait surprise. Il valait mieux pour le moment qu'elle évite le Síd, le temps que Cerridwen* digérât sa défaite et la perte du chaudron de Dagda. Ne pouvant se venger sur Taliesin, la sorcière pourrait très bien s'en prendre à elle si elle avait l'audace de revenir dans l'Autre Monde trop tôt. Et l'adolescente songea qu'elle avait suffisamment d'ennemis, dont Torlach et Macha la noire ; il n'était pas nécessaire qu'elle provoque le courroux de Cerridwen plus que nécessaire.

Celtina et Malaen poursuivirent leur route en silence. Pendant plusieurs jours, ils franchirent des paysages escarpés et difficiles, des vallées profondes encombrées d'arbres et des sommets dénudés d'où ils pouvaient avoir une vue d'ensemble de la région. Ils s'arrêtaient à peine pour se désaltérer, se restaurer ou se reposer. Parfois, ils croisaient des paysans ou des guerriers gaulois qui leur donnaient des nouvelles des récents succès de Jules César.

Puis, une fin d'après-midi, après une douzaine de jours de marche pendant lesquels ils avaient pris soin d'éviter les villes et villages gaulois devenus romains, donc en faisant parfois de grands détours pour rester à l'abri de la forêt, ils entendirent l'écho de coups répétés et nombreux. Assurément, on cassait des cailloux au-delà de la ligne des arbres. Curieuse, la jeune fille décida de passer outre sa crainte de tomber sur un groupe de Romains et voulut aller voir de quoi il en retournait.

Avec précaution, les deux voyageurs se glissèrent d'arbre en arbre jusqu'à une route superbement dallée. Projetant son esprit au-delà de son abri, Celtina découvrit des hommes et des femmes, tous des esclaves, mais aussi des soldats romains qui s'affairaient à tailler des pierres et à les disposer pour réparer une portion de voie. D'autres ouvriers étaient en train de débroussailler les bas-côtés.

– *Hum! Je crois que c'est une portion de la Via Domitia*, songea-t-elle pour communiquer ses impressions à son cheval en silence, afin de ne pas trahir leur présence. *Maève nous a expliqué que les Romains ont construit une route qui part de Rome et va jusqu'au pays des Ibères, passant par les grands oppida qu'ils ont conquis dans la région depuis un siècle. Parfois, ils se sont servis des anciennes routes gauloises et les ont* pavées mais, d'autres fois, ils ont construit leurs propres chemins de communication.

– *Tu as raison, nous ne sommes pas loin de Carcasso, une ville qui appartenait autrefois aux riches Tectosages. Le Gros Rocher du Guerrier a toujours été un centre important, c'est une étape sur la route de l'étain. Les Romains l'ont bien compris.*

– *On vient!* lança vivement l'adolescente, alertée par un bruit.

Quelqu'un était entré dans le bois et s'avançait vers eux sans faire preuve d'une grande prudence, car des branches et des feuilles craquaient sous ses pas et des petits animaux détalaient à son approche.

Celtina et Malaen, eux, étaient beaucoup plus défiants; ils prirent soin de se dissimuler derrière les arbres pour observer leur visiteur. Habillé à la mode romaine, l'homme d'une trentaine d'années s'était enfoncé dans la forêt avec une hache. Visiblement, il avait besoin de bois de construction. Il se mit aussitôt à cogner sur le fût d'un hêtre majestueux, l'entaillant profondément, sans pour autant l'abattre tout à fait. Puis, il passa à un autre et le marqua de la même façon. Celtina comprit qu'il choisissait des arbres à abattre plus tard.

La prêtresse continua son observation pendant un bon moment avant que son œil fût attiré par un détail: le bûcheron ne pouvait être qu'un Gaulois, car, autour du cou, il portait un collier de feuilles de gui fraîches que la prêtresse reconnut comme un talisman.

– *Viens*, ordonna-t-elle en pensée à Malaen. *Je vais lui demander un refuge pour la nuit.*

– *Hum! Sois prudente. Cet homme peut t'attaquer pour te vendre aux Romains.*

– *Non. Je ne vois pas de méchanceté dans son esprit. Et puis je n'ai pas l'air d'une prêtresse avec mes vêtements de guerrière. Il n'y a rien à craindre.*

Elle s'écarta du tronc qui la dissimulait et s'avança vers le bûcheron, Malaen veillant derrière elle, prêt à l'avertir en cas d'apparition d'un groupe de Romains ou du moindre danger.

En sueur, l'homme continuait de marquer d'autres hêtres d'un coup de hache solidement appliqué à hauteur de sa taille. Brusquement, il pivota et, levant son outil, il en menaça Celtina. Il avait perçu son arrivée derrière lui et cherchait à se prémunir d'une attaque-surprise. Mais, constatant qu'il avait affaire à une jeune fille et à son cheval, il abaissa rapidement son arme, presque honteux d'avoir eu une réaction aussi excessive.

– Bonjour, bûcheron, l'aborda Celtina. Mon compagnon et moi sommes à la recherche d'un abri pour la nuit. Peux-tu nous dire si un druide de Carcasso peut nous accueillir?

– Un druide? s'étonna l'homme. Tu n'en trouveras plus guère dans nos villes et nos villages; beaucoup se sont enfuis, d'autres ont été exterminés et, finalement, il y en a même un ou deux qui sont devenus des prêtres au service des dieux romains. Non, des druides, il n'y en a plus tellement par ici.

Son ton était triste, mélancolique, mais Celtina ne jugea pas bon de dévoiler son état de prêtresse, car elle ne savait pas à qui elle avait affaire. Dans les régions contrôlées par Rome, il valait mieux se montrer discret sur cette question.

– Alors, dis-moi où m'adresser pour passer la nuit à l'abri et pour manger, car je voyage depuis longtemps et les vivres commencent à manquer, fit-elle en agitant son sac qui, effectivement, était plutôt vide de nourriture.

– Les Romains ont doté notre ville de quelques auberges, tu trouveras là le gîte et le couvert*. Entre dans Carcasso et demande l'Auberge du Drac. Elle est surtout fréquentée par les marchands, mais tu y seras bien accueillie.

– Pardonne ma curiosité, poursuivit Celtina, mais pourquoi portes-tu du gui autour du cou?

L'homme regarda tout autour de lui, comme s'il redoutait de voir surgir des monstres ou des fantômes et, sur un ton de conspirateur, il lui répondit:

– Les bois grouillent de fassilières… Je dois me protéger. Et puis, malgré ce qu'en disent les Romains, les druides continuent de hanter la forêt et ils sont furieux d'avoir été chassés des oppida. Ils nous lancent des sorts et prononcent des geis qui peuvent nous entraîner vers la mort.

– Les fassilières? souleva Celtina. Qu'est-ce que c'est?

– Ah! On voit bien que tu es étrangère. Les fassilières sont des sorcières et des sorciers qui nous empoisonnent la vie. Certains ne sont pas méchants et nous jouent simplement de mauvais tours, mais d'autres sont foncièrement vicieux et perfides. Si tu rencontres un saurimonde, surtout fuis!

– Un saurimonde? Comment le reconnaître?

– C'est facile. Si tu vois un bel enfant aux cheveux blonds et bouclés, aux yeux bleus et à la bouche rose, abandonné au bord d'une fontaine ou dans la forêt, et qui t'implore de sa douce voix et de ses sanglots de l'emmener, surtout ne t'arrête pas. Lorsque l'enfant aura grandi, il se révélera n'être qu'un démon, un monstre créé par des génies malfaisants que les Romains appellent les lémures.

– Plutôt une création des Fomoré! s'exclama Celtina.

L'homme la dévisagea.

– Il y a bien longtemps que l'on ne croit plus aux Fomoré ni aux Tribus de Dana par ici. Surtout, quand tu seras dans Carcasso, ne parle pas d'eux, car on va vite repérer que tu n'as pas renié les anciennes croyances. Les Romains vont te considérer comme une prêtresse et te mettre à mort.

– Merci de ton conseil, je ferai très attention...

Celtina s'éloigna en se retournant plusieurs fois pour adresser des gestes d'au revoir au bûcheron qui s'était remis à la tâche.

En prenant la route menant à Carcasso, elle constata que les réparations étaient terminées et que de nombreux chariots remplis de marchandises se dirigeaient vers la ville. Des soldats, des marchands, des ouvriers... La Via Domitia était bien encombrée en cette fin d'après-midi. Tous se hâtaient vers l'ancienne forteresse des Tectosages, devenue une ville gallo-romaine*. Elle entendit des discussions en latin, en grec, en gaulois et même en germain... Tous les peuples semblaient s'être donné rendez-vous sur cette voie où sévissait un important trafic commercial. Elle remarqua des chariots chargés d'amphores, d'autres remplis de tonneaux; des bergers conduisaient chèvres et moutons; des marchands d'étoffes côtoyaient des vendeurs d'esclaves. Elle se joignit à un groupe qui se dirigeait vers Carcasso tandis que d'autres personnes en sortaient. Le va-et-vient lui parut étourdissant.

En franchissant les murs de la cité, elle remarqua de nombreuses constructions romaines, et même au loin un pont enjambant le fleuve Atacos, dont le nom signifiait «le très fougueux» en raison du tumulte qui agitait ses eaux.

Une femme en train de laver son linge au lavoir lui indiqua l'Auberge du Drac. Celtina y parvint sans problème, se frayant un chemin entre les nombreux passants qui déambulaient dans la ville.

Malaen fut conduit à l'étable et elle prit place à une table où on lui servit une fricassée de porc à la mode romaine, c'est-à-dire avec du chou et relevée d'ail, du pain et du fromage de chèvre. Elle refusa le vin romain, préférant un bol de cidre doux. Elle paya avec une des pièces d'argent noircies qu'elle gardait sur elle depuis Gwened. Le tavernier, un Gallo-Romain soupçonneux, examina la monnaie, allant même jusqu'à la croquer pour s'assurer qu'il s'agissait bien d'argent, il était plutôt habitué aux sesterces romains ou aux drachmes grecques. Mais, finalement, il empocha l'argent. Après avoir expédié son repas, Celtina put s'étendre dans un coin, sur un lit de paille.

Elle dormait depuis une heure, ou peut-être deux, lorsqu'elle fut réveillée par des éclats de voix. Elle ouvrit un œil et écouta les conversations. Une demi-douzaine de marchands avaient fait irruption dans la taverne et, après avoir bien mangé et bien bu, ils avaient décidé de prolonger la soirée en racontant des légendes de leur coin de pays.

— Je te dis que j'en ai pêché un il y a quinze jours, près de la source sacrée de la Sauconna…

– Qu'est-ce que tu es allé faire par là ? Tu n'as pas eu peur des barbares du Nord ? ricana un autre.

– Je fais des affaires avec les Leuques, répliqua le marchand. Bon, je te la raconte, mon histoire, ou tu t'en moques ?

– Allez, vas-y, vantard ! se moqua encore le deuxième négociant.

– Aussi vrai que je suis là devant toi, je te jure que j'ai pêché un kupléa. J'ai soudain vu apparaître ce poisson à grosse tête, à l'œil cyclopéen, avec ses trois arêtes dorsales et ventrales dans mon filet.

– Ça n'existe pas, un kupléa, railla son interlocuteur. C'est un mythe…

Le marchand haussa les épaules et but d'une traite sa chope de vin.

– Qu'en as-tu fait ? intervint un troisième larron.

– J'ai eu une peur bleue, tu penses bien, reprit le premier. Je l'ai balancé à l'eau.

– Comment est-ce possible ? douta un quatrième compère.

– Tout le monde sait que le kupléa voyage des eaux de la Méditerranée vers la source sacrée de la Sauconna en remontant le cours du Rhodanus, expliqua de nouveau le premier marchand. Il s'en va y chercher un caillou qui possède le pouvoir de guérir certaines maladies qui sévissent dans le delta.

– Ha, ha, ha! se moqua de nouveau le deuxième négociant. Et il le met où, ce caillou? Dans sa ceinture? Ou peut-être a-t-il aussi des mains au bout de ses nageoires pour le porter?

– Non, monsieur je-sais-tout! s'énerva le premier marchand. Le kupléa incruste la pierre dans sa tête. Et chez moi, on dit que tous les malades qui touchent cette pierre sont aussitôt guéris.

– N'importe quoi! firent les autres en chœur tout en rigolant.

Alors, le marchand dont la parole était ainsi mise en doute sortit de sa bourse deux statères d'or leuques sur lesquels était frappée l'effigie du kupléa. La monnaie passa de main en main et les rires finirent par s'atténuer.

– Par Hafgan! jura un des hommes. Ce poisson doit être un ancien dieu qui s'est transformé pour échapper aux Romains…

– Chut! lui intima un autre. Il ne faut plus dire «par Hafgan», mais «par Jupiter»… Tiens-tu à finir au fond de l'Atacos?

Celtina retint un bâillement et une larme. Les propos des marchands lui confirmaient que les dieux celtes avaient bel et bien cédé le pas aux dieux romains dans cette partie de la Gaule. Pour les habitants de la région, il était trop tard, Jupiter avait remplacé Hafgan jusque dans les exclamations les plus courantes! Elle songea qu'elle devait à tout prix achever sa mission si elle ne voulait pas que d'autres peuples finissent par oublier ou par renier leur culture au profit de celle de l'envahisseur romain.

Elle se retourna, visage contre le mur. Dès demain, elle reprendrait la route. Elle devait absolument rejoindre Tifenn pour obtenir un nouveau vers d'or. Avant de se laisser glisser dans le sommeil, une dernière pensée lui amena le visage d'Arzhel à la mémoire. Que faisait-il? Où était-il? Avait-il obtenu un autre vers d'or? Iorcos lui avait-il finalement dévoilé le sien? De nombreuses questions agitèrent sa nuit.

Chapitre 10

Au réveil, Celtina constata que les marchands étaient déjà partis et qu'elle était seule dans l'Auberge du Drac. La femme de l'aubergiste lui servit un bol de lait caillé* et du pain de la veille, qu'elle dévora à belles dents. Puis, elle acheta des provisions pour le reste de la route : surtout du porc et du bœuf séchés, du pain et des fruits secs. La belle saison qui commençait par Simivisonna*, le mois du milieu du printemps, saurait lui fournir des fruits frais tout au long du chemin. De plus, son itinéraire devait maintenant la faire passer par de grandes villes où elle pourrait trouver des repas dans des auberges ou chez l'habitant.

– Pour rejoindre la forteresse de Ra, tu dois te diriger d'abord vers Narbo, lui conseilla la femme. Tu verras, c'est l'une des plus belles villes de l'Empire romain. Ensuite, rejoins Beterris, puis passe par Seg et par la colline de Montispastell, et, finalement, tu traverses les Eaux Mortes. Tu seras alors presque arrivée.

– Les Eaux Mortes ? demanda la prêtresse avec anxiété.

Le nom ne lui disait rien qui vaille.

– D'après ce que racontent les marchands et les voyageurs, c'est un dédale d'étangs, de marécages insalubres, de dunes et de pinèdes, expliqua l'aubergiste. On y trouve quelques pêcheurs et des sauniers, mais aucune cité digne de ce nom. C'est un endroit dangereux, mais c'est le chemin le plus court pour atteindre la forteresse de Ra.

Puis, tout bas, en s'assurant que personne d'autre n'entendit ses propos, elle ajouta :

– C'est le domaine de la déesse ligure* Camars. On y trouve une multitude d'oiseaux, surtout de grands échassiers roses, et des milliers de chevaux sauvages. Il paraît que c'est très beau.

Celtina remercia son hôtesse puis, en compagnie de Malaen, elle quitta l'auberge en se joignant à un groupe de marchands qui se dirigeaient vers Narbo l'opulente, laquelle tenait son nom du dieu protecteur local Ner, la source jaillissante. Ce port faisait la richesse de ses habitants depuis des millénaires, des premiers Élisyques aux Tectosages, et maintenant celle des Gallo-Romains. Toutes les marchandises venant des villes de la Méditerranée transitaient par Narbo avant d'être envoyées vers les ports de l'océan Atlantique et les autres oppida de Gaule, d'Ibérie et même plus loin, dans ceux de l'île de Bretagne. Cette ville était la plus renommée de la contrée à cause de sa richesse, de ses terres fertiles et des mœurs de ses habitants que les Romains considéraient comme beaucoup plus civilisés que tous les autres Gaulois. Rome avait rapidement compris l'importance de Narbo et en avait fait la plaque tournante de ses échanges commerciaux.

Le voyage fut agréable, mais la prêtresse apprit une nouvelle qui la plongea dans un profond désarroi. Alban Efin*, le jour le plus long, celui où les Celtes célébraient la moisson, la nourriture, la générosité du monde, avait été remplacé par les fêtes romaines de Kalendis Juniis*. À Narbo comme à Rome, le peuple allait sacrifier un bélier en l'honneur de Janus, un mouton à Jupiter et une truie à Junon.

Le jour où les voyageurs pénétrèrent dans la vaste cité, Celtina assista à un spectacle étrange qui la laissa sans voix. En passant devant une riche demeure, sans doute celle d'un important édile* romain, se dit-elle, la prêtresse vit une femme qu'elle prit pour la maîtresse de maison giflant et poussant dehors sans ménagement une jeune esclave gauloise.

Elle allait invectiver la matrone lorsque Mirèio, une veuve avec qui elle avait lié connaissance le long du parcours entre Carcasso et Narbo, l'en empêcha en l'attrapant par le bras au moment où elle s'élançait.

– Surtout, ne bouge pas ! intervint Mirèio.

– Mais je ne peux pas laisser cette Romaine maltraiter ainsi cette jeune fille… de NOTRE

PEUPLE! fit Celtina en insistant bien sur les deux derniers mots.

Mirèio esquissa un sourire avant de lui expliquer le symbolisme de toute la scène qui se déroulait devant ses yeux ébahis.

– Ce n'est pas de la maltraitance. C'est un rituel romain. Aujourd'hui, c'est la fête de la mère du Matin, la déesse de l'Aurore, qui est fatiguée à force de se lever de plus en plus tôt chaque jour. Alors, pour l'aider, les matrones vont au temple… D'un signe de tête, elle désigna l'édifice que Celtina avait pris pour une riche demeure romaine. Elles vont lui offrir des galettes de beurre bien jaune, symbolisant l'astre du jour. Auparavant, elles ont pris soin de faire entrer une esclave dans le temple. Après avoir fait leurs offrandes, elles giflent, fouettent et chassent l'esclave du temple. L'esclave symbolise l'obscurité chassée par la déesse de l'Aurore. Les femmes dont les sœurs ont des enfants vont aussi les porter dans leurs bras à travers le temple, pour symboliser la déesse qui accueille le jeune Soleil, fils de sa sœur la Nuit. On appelle cette fête Matralia.

La jeune prêtresse fronça les sourcils. Décidément, les rites romains étaient étranges et humiliants pour ceux qui avaient eu la malchance de devenir esclaves. Elle regarda la jeune fille qui venait de recevoir une paire de claques et qui en ressentait encore la brûlure sur ses joues écarlates. Heureusement, elle avait filé loin du temple avant d'être fouettée. Ce ne devait pas être la première fois qu'elle était soumise à cette humiliation et elle avait compris ce qui l'attendait si elle restait dans les parages.

– Tu m'as dit que tu ne connaissais pas Narbo…, reprit Mirèio.

Celtina confirma de la tête tout en continuant à observer les gens de la cité. De temps à autre, elle apercevait des Gaulois qui s'étaient romanisés, mais qui avaient conservé certaines pièces d'habillement celtes, plusieurs portant les braies* gauloises au lieu de la toge romaine.

– Eh bien, je t'offre d'habiter chez moi quelques jours, tu y seras bien… et en sécurité, ajouta la veuve qui faisait profession de marchande d'étoffes de luxe.

Celtina la dévisagea, se demandant ce que sa compagne voulait insinuer.

– Suis-moi! Nous discuterons mieux à l'abri des murs de ma maison.

Malaen sur les talons, Celtina et Mirèio parcoururent les rues étroites et pavées de la ville jusqu'à une maison de pierre de taille moyenne, qui semblait fort confortable.

Elles croisèrent des ouvriers qui s'affairaient à la construction d'un horreum*. Fascinée, Celtina s'arrêta un instant pour admirer l'ingéniosité du bâtisseur romain qui avait conçu l'édifice et qui, plans en main, distribuait ses ordres. Il avait fait creuser quelques marches qui permettaient de descendre sous la chaussée où il était en train de faire aménager un immense entrepôt. Déjà deux galeries avaient été percées et une troisième serait bientôt achevée. En s'avançant un peu pour jeter un coup d'œil curieux, la prêtresse vit de hautes voûtes qui abritaient de petites cellules où les marchandises seraient bientôt stockées.

– Juste au-dessus des voûtes, il y aura un immense marché, commenta la veuve. Les Romains ont choisi un endroit idéal pour construire cet horreum. Le forum est à deux pas et l'entrepôt se situe en bordure du cardo* qui ici se confond avec la Via Domitia. C'est vraiment l'idéal pour acheminer les marchandises. Je te ferai visiter la ville. Nous avons un théâtre, des thermes et un temple de Cybèle. C'est magnifique.

Celtina voulait bien le croire. Elle n'avait jamais vu de si vastes constructions, surtout si solidement construites, avec un art qu'elle ne connaissait pas. Un instant, son cœur se serra. Elle songea que plusieurs peuples gaulois du Nord vivaient parfois comme des bêtes, se réfugiant dans des grottes, construisant des cabanes de bois, de boue ou de pierres sèches. Elle ne pouvait en vouloir aux peuples du Sud, en contact étroit avec les Romains et les Grecs depuis fort longtemps, de vouloir eux aussi plus de confort et des villes mieux bâties, plus fonctionnelles, plus riches. Toutefois, toute cette opulence les avait aussi éloignés de leurs croyances ancestrales, et cela, elle ne pouvait le leur pardonner.

D'une oreille distraite, elle continua d'écouter le babillage de sa compagne, qui lui racontait combien son commerce était prospère et comment elle avait doté sa demeure de bains et de tout le confort romains.

Lorsqu'ils arrivèrent enfin chez la marchande, Malaen fut conduit à l'écurie où il devait tenir compagnie aux nombreux chevaux de la veuve.

– Je t'ai bien observée tout le long du parcours, fit la femme un peu plus tard, après que Celtina se fut rafraîchie, tout en servant des olives, du fromage de chèvre, du pain à l'ail badigeonné d'huile à sa nouvelle amie. Tu es une guerrière en apparence, mais je crois surtout que tu as été formée pour être prêtresse, est-ce que je me trompe?

Désarçonnée, Celtina ne sut que répondre. Et son silence fut pris pour une confirmation.

– Je m'en doutais! s'exclama Mirèio. Tu sembles trop choquée par nos nouvelles coutumes et, en plus, tu ne cesses de parler de nos anciens dieux. Ne t'inquiète pas, je tiendrai ma langue. Moi aussi, je garde un secret: je n'ai pas oublié nos dieux celtiques. Et tu tombes plutôt bien. Avec quelques amis, puisque nous étions absents à Beltaine, nous avons décidé de reporter la cérémonie et de célébrer l'équinoxe d'été.

Cette fois, Celtina dressa l'oreille aux propos de son hôtesse qui n'avait cessé de jacasser depuis leur arrivée chez elle, tant et si bien que la prêtresse avait oublié la moitié de ce que sa nouvelle amie lui avait raconté.

– Il existe une île, Insula Kauco, dans l'Atacos, où des druides perpétuent nos rites ancestraux à l'abri des Romains, dans des grottes percées dans la falaise, poursuivit Mirèio en se servant généreusement un verre de vin d'Italie coupé d'eau. Joins-toi à nous !

Hésitante, Celtina se mordilla les lèvres. En fait, elle avait peur. Était-on en train de lui tendre un piège ? Pouvait-elle se fier ainsi à la première personne rencontrée ? En explorant les pensées de Mirèio, elle ne décela rien de menaçant. Mais si Macha la noire ou Torlach le sorcier avaient emprunté l'apparence de cette veuve, ils sauraient aussi modifier leurs pensées pour qu'elle ne se méfiât pas. Et si la marchande était plutôt une traîtresse à la solde des Romains ? *Non*, se dit aussitôt la prêtresse, *elle m'aurait déjà dénoncée et je croupirais dans un cachot.*

– À l'aurore, nous allumerons le feu purificateur, poursuivit la veuve, sans se douter des sombres pensées qui agitaient sa nouvelle amie. Nous ferons la ronde autour des flammes pour représenter la course du Soleil dans l'univers et pour solliciter le retour des forces vitales de la nature… En tant que prêtresse, tu ne peux certainement pas te soustraire à cette célébration. Et puis, ce serait bien que quelqu'un qui connaît les rites soit parmi nous, car il n'y a pas de druide en permanence à Insula Kauco. Ils risqueraient de se faire prendre et tuer. Viendras-tu ?

Celtina laissa le silence s'installer pendant quelques secondes. La veuve l'avait bien accueillie et la traitait avec amabilité. La prêtresse se demanda pourquoi elle ressentait autant de méfiance envers les êtres depuis quelque temps. Était-ce parce qu'elle vieillissait et commençait à perdre la candeur de l'enfance ou parce que les expériences qu'elle avait vécues depuis deux bleidos avaient modifié sa perception des choses et des gens ?

– Oui, je viendrai ! répondit-elle finalement, tout en espérant ne pas commettre une erreur.

Au milieu de la nuit, Mirèio vint chercher Celtina qui se reposait dans la chambre que la veuve avait mise à sa disposition.

– Il faut être très silencieuses, lui indiqua la veuve. Les Romains ont des gardes qui se promènent dans toute la ville. Heureusement, nous connaissons bien les horaires des patrouilles, donc il sera facile de les éviter.

– Nous ? se raidit Celtina, brusquement sur le qui-vive.

– Je te l'ai dit, nous sommes plusieurs à continuer à respecter les rites celtes. Nous devons rejoindre une dizaine de personnes au port. Une barque nous mènera à Kauco. N'aie pas peur. Ce sont tous des amis que je connais depuis longtemps, et c'est mon frère Afons qui dirigera l'embarcation.

Une trentaine de minutes plus tard, Celtina put constater avec quelle efficacité Mirèio, Afons et les autres avaient su déjouer les sentinelles romaines. Assurément, ce n'était pas la première fois qu'ils sortaient de la ville au cœur de la nuit; ils savaient parfaitement où ils se dirigeaient et comment le faire en silence.

Afons dirigea la barque avec maîtrise tandis que quatre rameurs la faisaient avancer. Pour éviter que les avirons ne produisent des clapotis qui auraient attiré l'attention, ils avaient pris soin de les envelopper d'un linge qui atténuait leur bruit sur l'eau.

Ils arrivèrent à Kauco trente minutes après leur départ, car les rameurs avaient dû ralentir la cadence et surtout manœuvrer entre des bateaux de pêche et des galères romaines qui étaient à l'ancre à l'entrée du port de Narbo.

Une fois débarqués, les Tectosages cachèrent leur embarcation dans un bosquet, puis empruntèrent un étroit sentier dans la garrigue*, se dirigeant de l'autre côté de l'île, à un endroit invisible depuis la ville. La lune éclairait suffisamment Kauco, et Celtina n'eut aucune difficulté à suivre ses guides.

– Il ne faut surtout pas que le feu que nous allons allumer attire l'attention des Romains, expliqua Mirèio. C'est pour cela que nous avons pris l'habitude de nous diriger de l'autre côté de l'île, vers les grottes qui peuvent servir de refuge en cas d'alerte.

À leurs gestes précis et rapides, la prêtresse comprit qu'ils venaient régulièrement dans ce lieu, plus souvent même que ce que la veuve lui avait laissé entendre.

Afons et les rameurs se dépêchèrent de ramasser du bois sec, puis allumèrent une belle flambée, le feu devant jaillir dès les premiers rayons du soleil. Puis, les hommes et les femmes plongèrent dans les flammes les torches qu'ils avaient apportées et firent le cercle sacré, symbole du cycle du temps. De la gorge des Celtes assemblés monta un chant envoûtant qui ramena aussitôt la prêtresse deux années en arrière, alors que Maève avait célébré la même cérémonie dans l'île sacrée de Mona*.

Mirèio se tourna ensuite vers Celtina pour l'inviter à procéder aux rites. La jeune prêtresse était émue; c'était la première fois qu'elle dirigeait cette importante célébration. Alors, venant de l'ouest comme elle l'avait vu faire par Maève, elle se plaça devant le brasier. Elle avait les jambes tremblantes et la gorge sèche.

Elle devait procéder à l'appel à la paix dans les quatre directions, exhorter les forces de l'Air, remercier la puissance du Feu, parler aux forces vives de l'Eau et finalement terminer ses invocations en s'adressant aux pouvoirs de la Terre. Elle s'acquitta de sa tâche avec sérieux et solennité et soupira de soulagement quand ce fut fait. Elle avait réussi sa première célébration en tant que prêtresse et en était très heureuse. Pendant un bref instant, elle songea à Maève et à sa mère. Comme elles auraient été fières d'elle !

Tout à coup, alors que l'émotion était à son comble, trois traits lumineux semblèrent se détacher de l'astre solaire et vinrent frapper la bague de Gildas qui s'agitait autour du cou de Celtina.

Impressionnée par la Triple Illumination, l'adolescente recula instinctivement. Jusqu'à ce jour, les trois rayons n'avaient été vus que par le druide Einigan de Cymru mais, pour la plupart des druides et des Celtes, ce n'était qu'une légende.

Le mythe disait qu'un jour Einigan aurait aperçu ces trois rayons de lumière sur lesquels étaient écrites toutes les sciences. Sur trois baguettes taillées dans du frêne sauvage, il avait alors tracé trois traits qui symbolisaient ce qu'il avait vu. Toutefois, ces baguettes avaient été rapidement déifiées* par les habitants de sa tribu ; irrité, Einigan les avait alors brisées. Malheureusement, ce faisant, il avait aussi provoqué sa propre mort. La légende disait que c'était depuis ce jour-là qu'il était interdit aux Celtes d'écrire leurs sciences, leurs croyances et leur culture.

Puis, un jour, un jeune druide appelé Menw avait aperçu trois branches poussant sur la tombe d'Einigan, comme si elles sortaient de la bouche du mort. Menw les coupa et ainsi apprit toutes les sciences, puis les enseigna à son peuple. Depuis, c'était par la tradition orale que la culture et la connaissance étaient transmises aux Celtes.

Celtina porta sa main à son cou et détacha le cordon. Exposant la bague de Gildas aux rayons lumineux, elle vit qu'ils se juxtaposaient parfaitement aux trois entailles que Gildas y avait pratiquées. Fascinés, tous les assistants avaient fait silence et observaient avec ravissement, mais aussi avec une certaine dose d'anxiété, ce phénomène inexpliqué. Qu'est-ce que cela pouvait bien signifier? La prêtresse changea l'angle de la bague; les rayons suivirent le mouvement. Elle recommença, et encore une fois les traits réagirent. Puis, brusquement, tout cessa. Les rayons disparurent instantanément.

Paralysés par l'émotion, tous les participants à la cérémonie continuaient de regarder en direction du soleil. Leurs pupilles étaient dilatées et, pour ne pas se brûler les yeux, ils durent détourner le regard. Alors, à travers le brouillard qui avait envahi leurs iris, ils virent apparaître un être, informe à première vue. Celtina fut la première à le reconnaître. C'était Ogme, le dieu de l'Éloquence, le frère de Dagda. Il venait de faire irruption au milieu de l'assemblée sous la forme d'un vieillard à demi chauve, avec de longs cheveux blancs qui lui retombaient jusqu'au milieu du dos. Sur ses épaules, il portait une peau de lion. Il était muni d'une massue, d'un arc et d'un carquois.

Des chaînes d'ambre pendaient de sa langue. Il s'adressa aussitôt à Celtina, sous l'œil éberlué ou inquiet des autres membres du groupe.

– Prêtresse, attache chacune de ces chaînes aux oreilles des hommes et des femmes de cette assemblée.

Celtina s'empressa d'obéir, car ces chaînes étaient le symbole de son rôle de dieu rassembleur. Ses amis tremblaient de tous leurs membres, mais ils étaient incapables de fuir, paralysés autant par la crainte que par la fascination qu'Ogme exerçait sur les foules. Personne n'aurait osé rompre ces liens fragiles, mais fort symboliques, qui permettaient aux hommes de suivre leur guide spirituel vers la sagesse. En effet, Ogme, dont le nom signifiait «chemin», apparaissait toujours aux vivants pour leur indiquer la bonne direction, le chemin que devait emprunter leur vie. Il ne se montrait jamais pour rien. Et Celtina comprit qu'Ogme avait sûrement un important message à leur transmettre.

Chapitre 11

Lorsque Ogme vit que tous les participants à la cérémonie étaient suspendus à ses lèvres, c'est-à-dire bien attachés à sa langue par les chaînes d'ambre, il s'adressa à eux de la voix profonde et grave que Celtina lui connaissait déjà. Les Tectosages, impressionnés de rencontrer le dieu de l'Éloquence en personne, retenaient leur souffle.

– Certains d'entre vous ont déjà appris à lire et à écrire la langue des Romains, dit-il à l'assistance.

Gênés, les participants baissèrent les yeux; tous savaient qu'il était interdit aux Celtes d'écrire et ils s'attendaient à voir s'abattre sur leurs têtes la malédiction des Thuatha Dé Danann. Toutefois, les propos suivants du dieu les plongèrent dans la plus grande stupeur.

– Les dieux ne sont pas contre l'écriture; nous vous enseignons plutôt à vous en méfier. Déjà, plusieurs d'entre vous y ont recours pour le commerce et leur vie quotidienne, surtout dans les cités gallo-romaines. Les temps changent, vous êtes en relation avec d'autres peuples et vous devez pouvoir communiquer avec eux à distance quand le besoin s'en fait sentir. Nous, des Tribus de Dana, n'avons rien à vous reprocher à ce sujet. Nous savons que votre petit groupe n'a pas renié ses racines et perpétue le culte des dieux celtes malgré de nombreuses embûches. Les Tectosages approuvèrent de la tête, en silence. Nous vous avons donc choisis pour apprendre le secret d'Einigan et Menw…

Cette fois, un murmure s'éleva des gorges des hommes et des femmes qui l'écoutaient; il faut bien le dire, ils n'en croyaient pas leurs oreilles. Plusieurs échangèrent des regards inter-rogateurs tandis que d'autres, passant d'une jambe sur l'autre, se demandaient visiblement s'ils n'étaient pas victimes d'hallucinations auditives.

Le dieu de l'Éloquence s'approcha de Celtina et tendit la main. À son geste, elle comprit sur-le-champ ce qu'il lui demandait et déposa la bague de Gildas à la Belle Chevelure dans la paume ridée d'Ogme. Le dieu suivit de l'index les traces laissées par l'apprenti dans la malachite et s'adressa plus particulièrement à la jeune prêtresse:

– Comme toi, Gildas à la Belle Chevelure avait reçu une mission. La sienne était de conserver le secret des oghams* jusqu'à ce que le temps de la divulgation fût venu. Malheu-reusement, il a perdu la vie dans un terrible guet-apens avant que le moment idéal arrive.

Toutefois, prévoyant, il a tracé ces lignes sur la pierre de sa bague en espérant que celle-ci te serait remise. Il a gravé son vers d'or et, en même temps, il t'a adressé un message. Il te savait sans doute assez curieuse et entêtée pour tenter d'en déchiffrer leur signification.

Celtina esquissa un sourire. Son ami la connaissait vraiment bien ; elle ne pouvait pas en dire autant de lui. À Mona, Gildas à la Belle Chevelure ne faisait pas partie de son cercle rapproché, il était plus un bon compagnon d'études qu'un véritable ami et elle le regretta. Il y avait tant de choses qu'elle aurait faites autrement pendant ses années de formation si elle avait su les nombreuses aventures qui l'attendaient et la vie qu'elle mènerait.

– Je vais maintenant vous enseigner le mystère des lettres, continua le dieu en s'adressant à tous. Pour commencer, il faut savoir que l'écriture est chargée d'une magie plus puissante et plus dangereuse que la voix et, pour cette raison, elle ne doit jamais être utilisée à mauvais escient.

– *Verba volant, scripta manent.* « Les paroles s'envolent, mais les écrits restent », disent les Romains, commenta Mirèio tandis qu'Afons la poussait du coude pour l'enjoindre de cesser de jacasser.

– Tu veux dire que l'écriture ne doit servir que dans les cas exceptionnels ? l'interrogea Celtina.

– Vous pouvez utiliser l'écriture grecque ou latine tous les jours, si cela vous chante, car elle n'est pas investie de notre magie. Mais pour notre langue, prenez garde. Ne tracez les signes que sur du bois, car il est putrescible*. Si vous le faites sur la pierre… attention ! N'oubliez jamais qu'une geis ou une malédiction écrite deviendra une épouvantable sanction, puisqu'elle ne pourra être levée. Vous ne pourrez jamais l'effacer et la malédiction courra tant que durera la pierre.

– Pourquoi nous confies-tu ce secret ? lui demanda Afons. Il devrait être la propriété exclusive des érudits, des ollamhs*, les meilleurs des filid, et non confié à des rustres comme nous. Nous ne sommes que des marchands, des pêcheurs, des paysans…, fit-il en désignant ses compagnons.

– Vous avez raison ! J'ai inventé les oghams pour les ollamhs.

Les Tectosages se dévisagèrent ; certains faisaient la moue, d'autres fronçaient les sourcils, se demandant pourquoi Ogme leur dévoilait ce secret.

– Vous savez déjà qu'un ollamh doit connaître trois cent cinquante récits par cœur…, continua le dieu.

– Justement, ces histoires ne sont pas faites pour être lues, mais racontées, intervint Celtina, troublée. Et chacun des ollamhs a la liberté de les allonger, de les raccourcir, de les adapter, de les enjoliver… Si les histoires sont écrites, les Celtes n'auront plus cette possibilité de les modifier. Tout le monde sait qu'une histoire qui change est une histoire qui vit.

— J'y ai longuement réfléchi, déclara Ogme. La culture des Romains et des Grecs se propage très vite parmi les peuples parce qu'ils écrivent leurs récits et leurs légendes et que les commerçants peuvent colporter les manuscrits ou les tablettes d'un bout à l'autre de l'empire. Les hommes les connaissent aussi bien dans l'île de Bretagne et chez les Germains qu'à Delphes, en Cilicie, ou dans les pays des hommes noirs.

Mirèio murmura un « c'est bien vrai ça ! » qui fit sourire Celtina. La veuve ne craignait nullement de parler en présence du dieu, ce qui n'était pas du tout le cas des autres Tectosages qui demeuraient silencieux, impressionnés, pendant qu'Ogme poursuivait ses explications :

— Il faut que les récits et les exploits des guerriers celtes soient aussi célébrés partout dans le monde. Ne laissez pas les Romains parler de vous dans leurs mots. Racontez et… écrivez les prouesses de Cassivellaunos de l'île de Bretagne, d'Indutionmare des Trévires, de Camulogénos des Aulerques-Parisii, de Vercingétorix et de tant d'autres braves chefs de guerre ou rois. Ne laissez pas les Romains écrire votre histoire, car ils la déformeront, et vous n'aurez plus aucun moyen de rétablir la vérité. Voilà ce que je vous demande, à vous, petit groupe de Tectosages : utilisez l'écriture latine et grecque, et propagez notre histoire, celle des dieux des Tribus de Dana et celle de vos peuples ! Quant à toi, Celtina, je dois te parler seul à seule.

Le dieu détacha les chaînes d'ambre qui le reliaient aux Celtes. Afons, Mirèio et leurs amis comprirent le message et s'éloignèrent en direction des grottes.

– Nous ne repartirons pas sans toi, lui lança la veuve en se retournant. Nous t'attendrons le temps qu'il faudra…

– En te remettant cette bague, commença Ogme en s'adressant à Celtina, Gildas a décidé que seul l'Élu, quel qu'il fût, pourrait devenir dépositaire du secret des oghams. C'est un choix judicieux, même s'il arrive plus tôt que nous l'avions prévu.

– Vous aviez prévu de me livrer aussi le secret des oghams ? demanda-t-elle à Ogme, intriguée. Pourquoi ?

– Les vers d'or, le secret des oghams, les talismans des Tribus de Dana… tout doit être mis à l'abri. Nous ne pouvions confier tout cela à une même personne sans savoir si elle le méritait et surtout si elle pouvait les conduire en lieu sûr, sans tomber aux mains des Romains. Malheureusement, les événements se précipitent, les choses évoluent trop vite. Tu te retrouves dépositaire de tout notre savoir et de notre magie beaucoup plus rapidement que nous l'aurions voulu.

– Vous saviez dès le départ que cette responsabilité m'incomberait ? le questionna encore la prêtresse.

– Pas tout à fait. Arzhel et toi aviez les meilleurs profils. Nous avons beaucoup hésité entre lui et toi. Il était plus expérimenté, mais surtout plus ambitieux. Une qualité qui s'est vite transformée en défaut dans son cas. Toi, ton plus grand handicap était ton âge. Certains dieux te croyaient trop jeune, pas assez formée en druidisme pour supporter tout ce poids sur tes épaules… Nous avons donc séparé le secret entre douze élèves, en espérant que l'un de vous, Arzhel ou toi, serait apte à le rassembler. Tu t'es montrée non seulement plus rapide, mais surtout plus digne de confiance que lui, qui se laisse manipuler par Macha la noire. La sorcière a su exploiter les failles de son caractère. Quant à Gildas, on lui avait confié le secret des oghams, car c'était un garçon cultivé, réfléchi, humble et surtout calme et discret. Il aurait pu devenir un très grand ollamh. On savait qu'il saurait transmettre ses connaissances à la personne élue le moment venu.

– Ainsi, les dieux ont douté de moi, fit Celtina en faisant mine d'être légèrement offensée.

– Mais maintenant nous sommes una-nimes pour dire que tu t'en tires plutôt bien, la rassura Ogme, dont le visage ridé comme une vieille pomme s'éclaira d'un sourire malicieux.

– Trop heureuse de te l'entendre dire! ironisa la prêtresse. Bon, eh bien, puisque nous sommes là, j'imagine que tu as certaines choses très importantes à m'apprendre…

– Je dois t'expliquer la magie des oghams, reprit Ogme. L'écriture est très dangereuse, comme je l'ai déjà mentionné. Elle sert à fixer un moment et le rend éternel. Donc, si tu te vois dans l'obligation de tracer une formule magique en utilisant les oghams, prends garde. Une obligation, une malédiction, le nom d'un individu ne pourront jamais s'effacer tant que le support ne sera pas détruit… complètement détruit, réduit en poussière.

Celtina hocha la tête. Maève leur avait enseigné que la pensée était en constante évolution; les idées venaient, se modifiaient, changeaient presque au jour le jour. La prêtresse comprit que l'écriture était l'inverse. Une fois que la pensée se trouvait gravée dans la pierre ou sur un autre support permanent, elle pouvait l'être à tout jamais.

– Tu sais que le Savoir, transmis de la façon que Menw avait choisie, pouvait sans cesse être modifié, amélioré, mis à jour…

– Oui, bien sûr. L'expérience d'Einigan nous enseigne que si la connaissance est écrite, alors le Savoir est tué… comme il l'a été, lui, confirma Celtina. Tant que notre tradition celtique sera orale, elle sera vivante…

– Bien, je vois que tu as parfaitement saisi les enjeux, approuva Ogme. C'est pour cela que, si tu dois tracer des oghams, je te conseille de choisir un support sur lequel il devient difficile de transcrire un texte de plusieurs lignes. Regarde, ces traits horizontaux et verticaux sont longs à graver et encore plus à lire… Contente-toi d'un mot ou d'une lettre et serst'en comme d'un moyen mnémotechnique*.

– J'ai un peu peur que, en écrivant, les Celtes deviennent moins aptes à développer leur mémoire, soupira Celtina en suivant des doigts les traits que Gildas avait inscrits dans la malachite.

– C'est le risque que nous devons être prêts à courir, murmura le dieu. Maintenant, regarde bien, car je vais te montrer et t'enseigner les oghams, la magie du Savoir sacré.

Ogme s'accroupit et Celtina l'imita. D'une baguette de bois, le dieu de l'Éloquence se mit à tracer des signes dans la cendre éparpillée du feu qui s'était éteint.

– Tu as vu les trois rayons de lumière venus de l'astre solaire et tu as remarqué qu'ils correspondaient aux trois traits gravés sur la bague. Ces signes sont O. I. W., ils se prononcent OU et correspondent à trois mots : Savoir, Amour et Connaissance de soi. Ils représentent donc l'Absolu, la perfection.

Celtina hocha la tête, attentive, les yeux fixés sur les traits.

– En les voyant, j'ai pensé à Aceio, la hada que j'ai rencontrée dans la montagne… Les traits sur la bague ressemblent à l'empreinte de sa patte d'oie.

– Très juste, tu as bien observé, la félicita le dieu des Tribus de Dana. On appelle justement ce caractère la patte d'oie. Bonne association d'idées. Gildas a donc gravé son vers d'or en employant le signe de l'Absolu. Je vais le déchiffrer pour toi. Écoute bien. « Pour parvenir à être un humain parfait, il existe trois nécessités : la Connaissance, l'Amour et la Force morale. »

Celtina, le cœur serré en pensant à son ancien compagnon de Mona, répéta cette partie du secret des druides qui lui était enfin dévoilée. Puis, voyant que le dieu Ogme continuait de tracer des traits horizontaux et verticaux, qui parfois se croisaient ou se barraient, elle reporta son attention sur le sol.

– Il existe vingt lettres de base qu'on appelle les feda*, elles-mêmes divisées en quatre familles, les aicmí*, continua Ogme. Chaque aicme porte le nom de la première lettre qui constitue sa famille. Par exemple, Aicme Beithe commence avec le Beith, symbole d'un nouveau commencement ; le Luis représente l'arbre de la vie, le Fearn est la protection spirituelle, le Saile est le signe de la nuit et du rythme lunaire, et le Nion symbolise la fécondité de la mer et la renaissance. Tu me suis toujours?

La prêtresse, concentrée, hocha simplement la tête tandis qu'Ogme poursuivait ses explications:

– Voici maintenant l'Aicme Húatha où l'on trouve l'úatH, la pureté; le Duir, la fertilité du printemps; le Tinne est l'équilibre; le Coll représente l'intuition, la sagesse, la poésie et la divination; le K ou Q pour Quert est le choix et la beauté. La troisième famille est l'Aicme Muine: le Muin porte en lui la prophétie et l'honnêteté, mais aussi l'éternité de l'esprit; le Gort, c'est l'errance de l'âme; le NGetal ou NG parle de la victoire sur le chaos, le Straif ou Z, c'est la puissance du destin; et, finalement, le Ruis symbolise le cycle de la vie, mort et renaissance… Tu t'en souviendras?

Celtina inspira très fort, se repassant mentalement les indications d'Ogme et en regardant bien les traits dans la cendre.

– Je crois que oui…

– C'est important. N'oublie pas les oghams, ils se révéleront très utiles lorsque tu seras prête à entrer dans Avalon…

– Une autre question… Pourquoi les oghams portent-ils des noms d'arbres?… Duir, c'est le chêne, Coll, le noisetier…

– C'est un moyen infaillible pour que tu ne les oublies pas. Regarde, le Duir est représenté par un trait large et un trait fin verticaux sur une ligne horizontale qui sert de base, ⅃L, il est droit comme un chêne. Pour Coll, il faut quatre traits verticaux, ⅢL, deux fins, un large, puis un fin, sur une ligne horizontale. Tu as vingt signes à mémoriser, incluant les voyelles qui font partie de la famille Aicme Ailme. Il y a le A de Ailm, le E d'Edad, le I pour Idad, le O d'Onn et le U qui est Úr. Est-ce que ça ira?

— Oui, bien sûr! s'exclama Celtina. J'ai quand même reçu une formation de prêtresse. Je dois me souvenir de centaines de noms de plantes et de leur usage, de tous les noms des dieux et de leurs attributs, du nom des étoiles, des rites pour les célébrations, des…

— D'accord, d'accord! l'interrompit Ogme en riant. Je sais que tu t'en souviendras… Bon, continuons avec des feda plus difficiles à mémoriser. Le Phagos devient le X; l'iPhin, est le P; l'uileand pour le Ph; l'oir pour le Th et l'ebad pour le Kh.

Le dieu de l'Éloquence laissa quelques secondes à Celtina pour qu'elle prît connaissance des oghams, puis il les effaça du bout du pied. Comme il l'avait si bien souligné déjà, les signes étaient empreints d'une grande magie et ils ne devaient pas tomber sous les yeux de n'importe qui, surtout pas d'une personne qui pourrait les utiliser pour faire le mal ou qui, n'en comprenant pas la signification, en détournerait le sens.

– Une dernière recommandation, reprit Ogme. Même si je sais que tu comprends maintenant bien l'importance des oghams, n'oublie pas… n'en parle jamais. Et si tu dois tracer un signe, fais-le sur la terre ou le sable où tu pourras facilement les effacer, comme je l'ai fait ici.

– Je m'en souviendrai! promit Celtina.

– Bon. Maintenant, va retrouver tes amis dans les grottes. Dis-leur bien de chanter les louanges de nos braves guerriers, et même de les écrire en latin et en grec s'il le faut. Personne ne doit oublier leurs sacrifices pour que les peuples celtes continuent d'exister.

Celtina s'éloignait lorsqu'elle vit débouler Mirèio, Afons et les autres comme s'ils avaient le diable aux trousses. Ils étaient verts de peur et tremblaient de tous leurs membres. Ogme s'apprêtait à disparaître, mais constatant l'état dans lequel se trouvaient les Tectosages, il jugea plus sage de s'attarder pour connaître la raison de cette frayeur terrible qui s'était emparée d'eux.

– La jambe poilue, la jambe poilue! hurlait la veuve, qui semblait avoir retrouvé les mollets de ses vingt ans et sautait par-dessus les amoncellements de rochers.

En fait, c'était vraiment la terreur qui lui donnait des ailes.

– La cambacrusa! s'exclama Ogme. Que vient-elle faire ici?

Puis se tournant vers Celtina, il ajouta :

– Elle a dû te suivre depuis les montagnes, car généralement elle ne quitte jamais Piren.

Celtina vit brusquement surgir, entre deux rochers, une épaisse jambe nue, poilue, avec un œil au genou, qui poursuivait un Tectosage qui s'était écarté du petit groupe qui l'avait accompagnée. L'homme d'une cinquantaine d'années était terrorisé et hurlait à pleins poumons.

La prêtresse ouvrait des yeux éberlués et songea que cela ressemblait bien à un Fomoré de prendre une apparence aussi grotesque. Il n'y avait aucun doute dans son esprit, c'était encore un coup tordu de Torlach le sorcier. Elle faillit éclater de rire mais, par respect pour ses compagnons qui étaient vraiment effrayés, elle se contint.

Ah ! Si Malaen était ici… il lui enverrait une bonne ruade dans son œil démesuré et la réexpédierait jusque dans ses montagnes, se moqua-t-elle intérieurement.

– Généralement, la cambacrusa est un personnage des tribus montagnardes dont les parents se servent pour faire peur aux enfants désobéissants, mais je crois plutôt que, cette fois, c'est à moi qu'il en veut, ce Fomoré, déclara finalement Ogme. Allez, Torlach, cesse ce jeu stupide et montre-toi sous ton vrai jour.

Interpellé par le dieu de l'Éloquence, le Fomoré quitta son apparence plutôt saugrenue. Mais sa véritable allure était tellement laide et visqueuse que les Tectosages se demandèrent lequel de ces deux aspects était le moins effrayant. Torlach affichait un rictus à la fois ironique et méchant.

– Je suis venu reprendre ce que tu nous as volé, Ogme! cria le sorcier d'une voix haut perchée qui vrilla les tympans de toutes les personnes présentes, excepté du dieu des Tribus de Dana.

Celtina, Mirèio, Afons et tous les autres rentrèrent inconsciemment leurs têtes entre leurs épaules et plaquèrent leurs paumes sur leurs oreilles. La voix de fausset que Torlach avait prise était insupportable… Il agissait ainsi pour être sûr de n'être entendu que d'Ogme.

– Rends-moi Orna, l'épée magique de Téthra*, notre roi bien-aimé…

– Les Fomoré ont perdu tous leurs droits quand nous les avons vaincus, répliqua Ogme. Retourne dans ton île du Brouillard, tu ne tireras rien de moi!

La voix de Torlach descendit d'un ton. Le sorcier s'exprimait maintenant plus calmement, de sorte que Celtina put entendre ses paroles. Son ton contenait en arrière-plan une menace qui, elle le savait, n'allait pas tarder à s'exprimer. Elle frissonna en songeant que le sorcier pourrait chercher à se venger sur elle du refus d'Ogme.

– Orna est le symbole de l'alliance des Fomoré avec Mari, notre déesse des Montagnes, et de son époux Maju. Il n'y a que des noms de rois fomoré gravés sur sa lame. Celui de Téthra est le dernier. Les dieux des Tribus de Dana ne pourront jamais y inscrire le leur. À quoi cela te sert-il de garder cette épée ? Ce n'est même pas une arme de guerre, juste un souvenir précieux… Rends-la-moi !

– Jamais ! fit Ogme. Les Fomoré ne sont pas dignes de l'alliance qu'elle représente. Je la rapporterai moi-même à Mari et Maju, cette nuit, pour l'Akelarre.

– Aaaah ! se lamenta Torlach. Les Tribus de Dana n'ont rien à faire dans la Lande du bouc. Seuls les sorciers et les sorcières sont conviés à cette assemblée. Tu n'y as pas ta place…

– Je n'ai pas confiance ! Ni en toi ni dans ta confrérie de sorciers, poursuivit Ogme. Sous prétexte de concevoir des orages pour apporter la fertilité, vous cherchez souvent à n'engendrer que le déshonneur pour la terre et le peuple. Je rendrai moi-même Orna à Mari.

– Tu n'en as pas le droit. Donne-moi Orna, sinon… sinon… Le sorcier s'étouffa de rage. Sinon, je le jure, je ne laisserai jamais Celtina tranquille. Elle finira bien par succomber sous mes coups.

– Tu te trompes, Torlach. Celtina devient de plus en plus forte. Elle est capable de s'opposer à toi, elle l'a déjà prouvé. Prends garde que ta méchanceté ne se retourne contre toi, le menaça le dieu de l'Éloquence. Ton assemblée n'est que négation et fausseté. Vous vous alimentez de mensonges. Retourne à Tory… et n'oublie pas ! Si toi et les tiens nuisez à la mission de Celtina et empêchez sa réussite, alors vous en pâtirez autant que nous. Si la culture celte et le druidisme disparaissent, nous disparaissons tous ! Les Fomoré aussi bien que les Thuatha Dé Danann.

Sur un dernier cri de rage et une dernière menace, Torlach le Fomoré s'évanouit en une longue spirale de vapeur bouillante. Les Tecto-sages purent reprendre leurs esprits et surtout cesser de grincer des dents, car la voix stridente de Torlach les avait grandement incommodés.

– Il reviendra ! soupira Celtina.

– Probablement ! confirma Ogme. Mais plus le temps passe et mieux tu peux lui faire face. Tu connais maintenant la magie des oghams, tu pourras t'en servir contre les Fomoré, si besoin en est. Maintenant, retournez tous à Narbo.

– Je vais lever un voile de brouillard quand nous serons en vue du port, déclara Celtina à l'intention de son petit groupe. Il nous dissimulera à la vue des Romains.

Lorsqu'elle se retourna pour remercier Ogme de lui avoir enseigné le secret des feda, elle constata que le dieu de l'Éloquence avait disparu.

Chapitre 12

Celtina passa plusieurs jours en compagnie de Mirèio, dans la belle ville de Narbo. Mais comme toute bonne chose a une fin, un soir, alors qu'elle partageait le repas de la veuve et de son frère Afons, elle leur déclara qu'elle partirait dès le lendemain matin. Elle avait encore une longue route à parcourir avant d'arriver à la forteresse de Ra, où elle comptait retrouver Tifenn, sa meilleure amie quand elles étudiaient dans l'Île sacrée.

Dès le lever du jour, après avoir garni son sac de jute de toutes les provisions que Mirèio avait pu y fourrer, Celtina embrassa ses *nouveaux amis*, récupéra Malaen à l'écurie et reprit la route romaine qui menait vers Beterris, à une vingtaine de leucas de distance.

Située à quelques leucas de la mer, Beterris avait subi d'importantes modifications au fil des ans. La rivière Orobis était maintenant canalisée par un aqueduc romain qui distribuait l'eau dans la ville. L'urbanisme de la cité avait été calqué sur celui des grandes villes d'Italie. Les routes étaient pavées et les rues, bordées de trottoirs surélevés pour accommoder les piétons. De millarium en millarium, une borne indiquait la distance entre la ville et Rome. En pénétrant dans la cité, Celtina vit, comme à Narbo, de splendides demeures où vivaient les plus riches et des immeubles qui permettaient aux moins nantis de se loger dans de plus petits appartements.

Cette fois, elle n'avait pas eu la chance de lier connaissance en chemin avec d'autres voyageurs et elle se mit à la recherche d'une auberge. En parcourant les rues, elle découvrit des boutiques, le marché et deux écoles non loin du forum. En raison du beau temps, l'enseignement se faisait dans les cours. Elle entendit des bambins de sept à onze ans qui apprenaient à lire le latin. Poursuivant son exploration, elle contourna le forum et un temple avant de tomber sur les thermes. Voyant en sortir un groupe de femmes, joyeuses et détendues, Celtina se laissa tenter. Mirèio lui avait tant vanté les bienfaits d'un bon bain et du massage qu'elle décida d'essayer. Dès l'entrée, elle comprit que l'accès aux thermes était gratuit, ce qui en assurait le succès dans la cité. Afons lui avait confié que la gratuité permettait d'accélérer la romanisation des Gallo-Romains. En effet, plus ces derniers s'adaptaient au luxe, plus ils troquaient rapidement leurs anciennes coutumes contre celles des envahisseurs.

Dès son entrée, Celtina fut dirigée vers le vestiaire par deux jeunes femmes. Le cadre coloré et raffiné des lieux la laissa incrédule. Partout des statues, des fontaines, des marbres peints et des mosaïques glorifiaient le bain, le sport et la détente. Une douce musique envahissait aussi les lieux. Celtina déposa donc ses vêtements dans le vestiaire puis, une serviette nouée autour du corps, elle s'engagea dans une succession de salles d'eau.

– Viens, la guida une des deux femmes lorsque Celtina lui avoua que c'était la première fois qu'elle venait dans les thermes. Tu dois d'abord te baigner dans l'eau froide du frigidarium.

Frissonnante, la jeune prêtresse se glissa dans l'eau glacée. Elle n'y resta que quelques secondes, puis sa guide l'emmena vers le tepidarium, où cette fois l'eau était tiède. Celtina commença à se détendre et à apprécier la température du bain.

– Et maintenant, nous allons rester plus longtemps dans la salle chaude, le caldarium.

Il s'agissait d'une pièce chauffée par le sol et les murs, dans laquelle Celtina se mit à transpirer abondamment.

– Et pour terminer, nous retournons au frigidarium quelques secondes, le temps de te rafraîchir, lui lança la femme en la tirant par la main. Puis, ta séance s'achèvera par un bon massage à l'huile d'olive.

Lorsqu'une heure et demie plus tard Celtina ressortit des thermes, Malaen, qui l'avait attendue, la trouva reposée, propre, parfumée et enchantée par l'expérience.

– Je comprends que tout ce luxe et ce confort plaisent aux gens de la région, fit Celtina. Les Romains savent comment prendre soin des corps et chasser la fatigue. On se laisse vite gagner par ce sentiment de détente et je suis sûre que si je vivais dans l'une de ces villes, j'en prendrais rapidement l'habitude. La femme qui m'a guidée m'a indiqué une auberge dans la rue suivante. Nous y passerons la nuit.

Au lever du jour suivant, ils repartirent pour Seg. De là, ils s'élancèrent vers la colline de Montispastell où Celtina dormit à la belle étoile, car il n'y avait aucun oppidum sur la colline.

Finalement, quatre jours après avoir quitté Narbo, les Eaux Mortes, un pays sauvage fait de marais, de sable et d'eau, s'ouvrirent devant Celtina et Malaen.

Depuis leur arrivée dans la province romaine que Rome avait appelée Narbonnaise, d'après le nom de l'importante cité de Narbo, un bruit étrange n'avait cessé de les accompagner tout au long de la route. Elle s'en était inquiétée auprès de quelques voyageurs. Tous avaient éclaté de rire et lui avaient lancé d'un ton moqueur que c'était les cigales. Même Mirèio et Afons avaient ri, sans pour autant lui fournir plus d'explications. Celtina avait décidé d'en avoir le cœur net et s'était promis de capturer l'une de ces mystérieuses cigales pour l'observer de plus près.

Devant les Eaux Mortes, cette promesse qu'elle s'était faite lui revint en mémoire tandis qu'émerveillée elle découvrait une faune et une flore qu'elle ne connaissait pas. D'étranges échassiers roses picoraient dans les marais, les cigales chantaient à tue-tête, des lézards se doraient au soleil, des petites grenouilles vertes coassaient et se poursuivaient entre les ajoncs.

Malaen, pour sa part, était fasciné par les chevaux, beaucoup plus grands et massifs que lui, à la robe grise tirant sur le blanc. Ils s'ébattaient en toute liberté entre les hautes herbes qui bordaient les étangs. Celtina reconnut quelques plantes qui aimaient les eaux salines, notamment la perce-pierre dont elle se servait pour fabriquer du savon. Des petits dépôts blancs çà et là lui confirmèrent que les Eaux Mortes regorgeaient de sel. Elle vit également des roseaux et de petits oliviers sauvages. L'air embaumait d'un mélange d'odeurs qui lui étaient, pour la plupart, inconnues, mais fort agréables.

Par sa cuisine parfumée, Mirèio lui avait fait découvrir quelques plantes comestibles, le thym, le serpolet, le romarin, le persil, le fenouil, le basilic, l'origan, la sarriette, la marjolaine et la lavande, dont un petit sachet, dissimulé dans une poche que la veuve avait cousue à son aube, parfumait ses vêtements.

Auparavant, Celtina avait déjà eu l'occasion de goûter quelques-unes de ces herbes grâce aux marchands qui parcouraient la Celtie, mais souvent les plantes étaient sèches et avaient perdu leur goût lorsqu'elles arrivaient entre les mains des cuisinières celtes de Mona. Cette fois, Celtina avait pu apprécier l'explosion des saveurs dans les plats de viandes, de poissons et de légumes de Mirèio. La marchande lui avait même appris à confectionner de merveilleuses tisanes à la fois désaltérantes et curatives en utilisant toutes ces herbes fraîches qui poussaient librement dans toute la Narbonnaise.

La prêtresse était justement en train d'explorer une zone sèche au milieu des Eaux Mortes dans l'espoir de découvrir des plantes lorsqu'elle s'entendit interpellée par une voix enfantine et joyeuse. Elle se retourna et ses yeux fouillèrent les hautes herbes. Malaen détecta le premier l'endroit où se trouvait l'enfant et y conduisit la prêtresse.

Le garçon, à moitié nu, avait une abondante tignasse noire et des yeux farouches ; toutefois, il ne semblait pas avoir peur. Il fixait Celtina avec insistance. L'adolescente le trouva très beau. Il avait un visage doux, délicat, mais un peu pâle contrairement aux habitants de la région. Elle tenta de s'introduire dans son esprit, mais constata qu'il avait dressé une barrière mentale puissante qu'elle fut incapable de franchir. Aussitôt, elle fut sur la défensive. Elle n'avait pas affaire à un enfant comme les autres.

Le bûcheron qu'elle avait rencontré peu avant d'entrer dans Carcasso l'avait mise en garde contre les saurimondes. Ses paroles lui revinrent en mémoire : « Si tu vois un bel enfant aux cheveux blonds et bouclés, aux yeux bleus et à la bouche rose, abandonné au bord d'une fontaine ou dans la forêt, et qui t'implore de sa douce voix et de ses sanglots de l'emmener, surtout ne t'arrête pas. Lorsque l'enfant aura grandi, il se révélera n'être qu'un démon, un monstre créé par des génies malfaisants que les Romains appellent les lémures. »

Mais le garçon d'environ sept ans qui se tenait devant elle n'était pas blond, il n'avait pas les yeux bleus, il ne pleurait pas ni ne l'implorait. Au contraire, il avait plutôt l'air vif et aussi indomptable que les chevaux sauvages qui paissaient tout autour d'eux.

– Es-tu un lorialet ? l'interrogea Celtina.

Un lorialet était un enfant né d'une femme et d'un rayon de lune. Mais à peine avait-elle posé sa question qu'elle sut qu'il ne l'était pas. Un lorialet avait un visage pâle et des traits mélancoliques. De plus, il ne vivait que la nuit, car la lumière du jour lui était insupportable. Son humeur variait selon le rythme des croissants de la lune. D'un tempérament solitaire et lunatique, le lorialet n'aimait pas la compagnie des humains et cherchait plutôt à s'isoler, vivant dans une perpétuelle tristesse. Tout le contraire du garçonnet qui lui souriait maintenant avec amabilité.

À force de le regarder, Celtina songea que le visage de cet enfant lui rappelait quelqu'un, mais elle était bien incapable de mettre un nom sur cette impression.

– Comment t'appelles-tu? demanda la prêtresse en se présentant elle-même.

– Je n'ai pas encore de nom, mais mon père, que je retrouverai bientôt, m'appellera Ossian, répondit l'enfant de manière énigmatique.

– Ossian? Le Petit Faon! s'étonna l'adolescente. Tu es doté du don de prophétie pour pouvoir ainsi prédire le nom que ton père choisira pour toi?

– Oui… Je peux parfois voir l'avenir! certifia Ossian.

– Oh! Et que vois-tu pour moi? demanda Celtina, à la fois moqueuse, mais aussi intriguée par les secrets de son krwi.

– Ah! Toi, je ne peux rien te prédire, car tu es l'Élue. Mais si tu veux, je peux te montrer ce qu'il adviendra de quelques-uns de tes amis.

Surprise par de tels propos, Celtina continua de détailler l'enfant. Soudain, son esprit s'éclaira. Mais oui, Petit Faon avait les traits de sa mère… C'était pour cela qu'il lui semblait avoir déjà vu ce visage. C'était maintenant très évident pour elle. Ossian ne pouvait être que le fils de Sadv, la biche blanche, et de Finn, le chef de l'Ordre des chevaliers des Quatre Royaumes. Mais comment était-ce possible ? Il y avait quelques semaines à peine, elle était encore en compagnie des Fianna et Sadv, enceinte, venait à peine d'être enlevée par le Druide Noir. Cette constatation la laissa sans voix. Elle savait que la notion de temps était très changeante dans l'univers où évoluaient les dieux, les druides et les héros. Le passé, le présent, le futur pouvaient se confondre, se déplacer, se mélanger, s'intervertir, comme elle en avait fait l'expérience lorsqu'elle avait été transformée en statue de pierre. Même si elle était parfaitement au courant, cela ne cessait jamais de l'étonner et de la surprendre.

Elle renonça pour le moment à percer le mystère et reporta son attention sur l'enfant.

– Que peux-tu me dire concernant ta mère, ton enfance ? finit-elle par lui demander.

– Je ne sais pas. Je ne connais pas mon passé, répliqua Ossian. Mais si tu veux, je peux te montrer l'avenir, comme je te l'ai déjà dit.

– D'accord. Peut-être pourrai-je ainsi percer le mystère de ton existence ? Il va falloir que j'aie recours à l'*Imbas Forosnai*, la Source de la Révélation, pour avoir des visions de l'avenir… Tu me poseras des questions et j'essaierai de voir…

– Non. Ne fais pas ça, la retint Malaen. Il n'y a aucun druide expérimenté pour surveiller ton voyage. Tu ne peux pas faire cela toute seule. C'est trop dangereux.

– Il a raison, intervint Ossian. Tu n'as pas besoin d'avoir recours aux Noisettes de la Sagesse. Je n'ai qu'à mâcher une petite feuille de belenountia pour être hypnotisé. Ainsi, tu pourras me poser des questions et guider ma voyance.

Celtina ouvrit son sac de jute et y plongea les mains, à la recherche de la plante dont Ossian avait besoin. Depuis son départ de Mona, elle avait plusieurs fois renouvelé sa réserve de simples, notamment auprès de Harbelex, le druide campani. Bien entendu, les plantes étaient sèches, mais elles seraient utilisables durant plusieurs semaines encore.

Ossian mâcha consciencieusement les quelques flocons de feuilles séchées, puis ses yeux devinrent fixes, ses pupilles se dilatèrent et Petit Faon se mit finalement à raconter sa vie passée.

– Je me rappelle d'une biche blanche, très douce, très gentille. Je l'aimais et elle prenait soin de moi. Nous avons erré ensemble dans des prés verdoyants et des collines boisées. Il y avait des sources limpides, mais aussi des falaises abruptes. Nous ne pouvions quitter ce pays. Pour manger, j'avais des racines et des fruits. Mais chaque matin, sur un rocher, je trouvais des galettes dorées et du lait caillé offerts par une main inconnue. De temps à autre, un homme habillé de noir venait nous rendre visite. Il ne s'occupait jamais de moi. Mais il parlait toujours à la biche, parfois avec douceur, mais souvent avec colère. La biche était terrorisée, peu importe si l'homme était gentil ou menaçant. Chaque fois, l'homme noir repartait en menaçant la biche qui, aussitôt, plongeait dans un état de faiblesse alarmant. La dernière fois que j'ai vu la biche, l'homme noir s'était montré plus terrible que jamais. Il lui ordonna de le suivre et elle, tremblante de tous ses membres, obéit, car il s'était emparé de sa volonté. Plusieurs fois, ses grands yeux tristes se tournèrent vers moi alors qu'elle poussait de grands gémissements. Je voulais l'accompagner, mais il m'était impossible de faire un pas dans sa direction. Puis, je me suis retrouvé seul… là où tu m'as découvert.

Durant tout le triste récit d'Ossian, les larmes n'avaient cessé d'inonder les joues de Celtina.

– J'ai deviné juste, lança-t-elle à Malaen. La biche blanche, Sadv, est bien la mère de Petit Faon. L'homme noir ne peut être que le Druide Noir* qui l'a enlevée à Finn.

La jeune prêtresse sut qu'elle ne reverrait jamais Sadv, le méchant druide des Tribus de Dana l'ayant sans doute tuée.

– Je vais devoir lui annoncer cette mauvaise nouvelle lorsqu'il recouvrera ses esprits, ajouta-t-elle en séchant ses yeux.

– Je suis désolé, fit le tarpan. Je comprends ta peine d'avoir perdu une amie, mais n'oublie pas, Ossian a dit qu'il pouvait t'indiquer l'avenir de certains de tes amis. Tu devrais l'interroger à ce sujet. Ta mission peut en dépendre…

Celtina inspira profondément.

– J'espère qu'il ne m'apprendra pas d'autres mauvaises nouvelles. J'ai peur pour Tifenn. Elle est si confiante, si fragile… Pourvu qu'il ne lui soit rien arrivé.

Puis, s'adressant à Ossian, elle lui demanda :

– Et maintenant, parle-moi de mes amis. Que vois-tu pour Tifenn ?

– Je vais te conter le destin de Diairmaid, le fils de Mac Oc, bredouilla Ossian, toujours en état d'hypnose.

– Hum ! Je préfère que tu me parles de Tifenn…, insista Celtina.

– Je suis avec mon père… Je suis beaucoup plus âgé. Ça se passe dans environ trente ans, continua Ossian sans se préoccuper des interrogations de la jeune prêtresse.

– Eh bien, au moins, comme ça, je sais que dans trente ans, Finn sera toujours en vie ! dit Celtina en s'adressant en Malaen. Ça veut peut-être dire que j'aurai réussi ma mission… Ossian, parle-moi de moi ! Vais-je réussir à mettre le secret des druides à l'abri ? Vais-je réussir à sauver notre culture et nos croyances ?

– Finn est triste, il marche de long en large autour de la forteresse d'Allen, poursuivit l'enfant. Il ne regarde même pas ce qui se passe autour de lui…

– Oui, eh bien moi, j'en connais un autre qui ne s'occupe pas de ce qui se passe autour de lui ! tonna Celtina, désemparée par l'insistance d'Ossian à lui narrer une autre histoire que celle qu'elle aurait aimé entendre. Puisqu'il ne semble rien y avoir à faire, je t'écoute, raconte-moi ce que tu veux. J'y trouverai peut-être des indices sur l'évolution de ma mission, ajouta-t-elle à l'intention de Malaen.

Puis, Celtina se concentra et s'insinua dans l'esprit d'Ossian. Ainsi, en plus d'entendre les présages de l'enfant, elle pouvait voir les images qui se matérialisaient dans les pensées du jeune oracle.

Chapitre 13

Suspendue à la vision d'Ossian, Celtina put assister à ce que le destin réservait à quelques-unes des personnes qu'elle avait eu l'occasion de croiser depuis le début de sa quête.

– Voici mon père, fit Ossian en décrivant ce qu'il voyait. Diairmaid, Cailté aux Longues Jambes et moi sommes de retour de la chasse. Mais Finn ne nous adresse pas un regard.

– Que se passe-t-il, père? osa l'interroger Petit Faon. Tu es préoccupé…

Finn sursauta, puis tentant de chasser les plis soucieux de son visage, il dit d'une voix qu'il voulait joyeuse:

– Oh, ce n'est rien, mes amis! Venez, allons faire cuire vos superbes prises. Ce soir, je donne un grand banquet.

Pendant tout le festin, tandis que les Fianna s'amusaient, mangeaient, buvaient, écoutaient les récits des bardes, le chef de l'Ordre des chevaliers des Quatre Royaumes resta triste et isolé, grignotant du bout des lèvres et ne participant à aucune réjouissance.

Les premiers, Cailté et Diairmaid, vinrent s'asseoir près de lui et l'interrogèrent sur les raisons de cette humeur maussade.

– Grand roi des Fianna, dis-nous ce qui ne va pas, l'implora Diairmaid. Nous sommes là pour partager tes soucis, nous sommes tes compagnons autant dans les bons que dans les mauvais jours.

– Demande-nous ce que tu veux et nous t'aiderons ! insista Cailté.

Finn regarda ses amis puis son fils tour à tour. Il hésitait. Ses compagnons sentirent qu'il en avait gros sur le cœur, mais ils ne voulurent pas le presser de questions. C'était à leur chef de choisir ou non de confier ses soucis.

– Eh bien voilà, commença Finn. Ça fait maintenant trente ans que j'ai perdu ma chère femme, la douce Sadv. Je vieillis et j'ai besoin d'une gentille compagne à mes côtés pour égayer mes jours. Une femme que tous les Fianna pourront respecter sans honte.

Diairmaid, Cailté et Ossian échangèrent des regards étonnés. Ils ne s'attendaient pas à une telle confession.

– N'aie pas honte de tes sentiments, intervint Cailté. Il est normal qu'un homme tel que toi, si vaillant dans la bataille, si juste avec ses hommes, si sage dans ses décisions, songe à reprendre une épouse après tout ce temps. Il n'y a rien de mal à cela…

– Père, tu n'as qu'à faire ton choix parmi toutes les femmes d'Ériu, toutes te trouvent encore beau, fort et valeureux, précisa Ossian. Toutes seront honorées d'être à tes côtés. Tu n'as pas à t'inquiéter.

Finn laissa de nouveau ses pensées dériver, et le silence s'installa entre lui et ses compagnons. Puis, brusquement, il s'adressa à Diairmaid.

– Et toi, qu'en penses-tu, fils de Mac Oc? J'ai toute confiance en ton avis. Depuis qu'Aël, l'elfe de l'Enfance*, t'a embrassé, elle t'a fait un don que plusieurs t'envient. Tu restes éternellement jeune et toutes les femmes tombent amoureuses de toi. Aux yeux de tous, tu as toujours vingt ans. Dis-moi ce que tu en penses…

– J'en pense que les autres ont raison, fit Diairmaid. Tu dois te remarier. Je connais une jeune fille d'une grande beauté, je suis sûr que tu sauras la séduire.

– De qui parles-tu?

– De Grania, la plus jeune fille de Cormac, petite-fille de Conn aux Cent Batailles, notre roi suprême…

– Pardon! intervint Celtina, médusée. Je n'ai jamais entendu parler d'un Ard Rí du nom de Conn aux Cent Batailles…

– N'oublie pas, Celtina. Ossian te raconte une histoire qui va se passer dans trente ans, c'est normal que tu ne saches pas encore qui est ce roi, lui lança Malaen.

– Oui, tu as raison ! Vas-y, Ossian, dis-moi ! Que vois-tu d'autre.?

– C'est Diairmaid qui parle maintenant, reprit l'enfant.

– Plusieurs rois et chefs de tribu ont déjà demandé la main de Grania. Mais elle a toujours refusé. Tu es le plus valeureux de tous, le plus renommé aussi. Tu sauras la convaincre. Conn aux Cent Batailles ne peut rien te refuser, tu es le chef des Fianna, le protecteur d'Ériu.

– Et puis Grania sera flattée que le grand roi des Fianna s'intéresse à elle et l'ait choisie entre toutes les femmes d'Ériu, compléta Cailté.

– Et toi, mon fils ? questionna Finn en se tournant vers Ossian.

– Je suis du même avis que Diairmaid et Cailté… Trente ans de solitude, c'est assez. Tu dois demander la main de cette fille.

– Bien ! Ossian et Cailté, vous vous rendrez auprès de Cormac et Grania pour présenter ma demande.

Le banquet se poursuivit et, cette fois, Finn participa pleinement à la fête. L'espoir était revenu dans son cœur. Le festin dura longtemps et tous en profitèrent.

Dès le lendemain, les deux Fianna mandatés par Finn se mirent en route dans le plus grand secret.

Après quelques jours, ils atteignirent enfin Tara, la capitale sacrée d'Ériu. L'Ard Rí et son fils les reçurent avec beaucoup d'honneur et organisèrent un grand festin pour souligner cette visite exceptionnelle des deux Fianna. En fin de repas, Ossian confia à ses hôtes le but de leur visite. Cormac se déclara très flatté de la demande de Finn.

– Ce serait un grand honneur pour notre famille, répondit-il à Ossian. Il n'y a pas un roi, pas un chef de guerre, pas un noble qui ne m'ait demandé ma fille, mais elle a toujours refusé. Certains disent que je la tiens prisonnière et que je refuse de la donner à quiconque parce que j'attends un prétendant qui m'offrira une forte compensation. C'est totalement faux. Grania est libre de décider. Je m'en vais donc lui soumettre votre proposition et je vous en reparlerai demain.

Le soir même, tandis qu'Ossian et Cailté allaient se coucher, Cormac s'entretint avec sa fille de seize ans.

– Deux Fianna sont venus pour te demander en mariage, lui annonça-t-il sur un ton enthousiaste.

– Deux? Envisages-tu que j'épouse deux hommes à la fois? se moqua Grania en brossant ses longs cheveux blonds et bouclés.

– Tu sais très bien ce que je veux dire, soupira Cormac devant l'ironie de sa fille. Ils sont venus parler au nom du chef de l'Ordre des chevaliers des Quatre Royaumes…

– Eh bien, ils auraient mieux fait de rester dans la forteresse d'Allen! fit-elle sèchement en repoussant les peaux de loup qui recouvraient sa couche pour se glisser dessous.

– Mais que veux-tu donc, Grania? s'emporta Cormac. Tu refuses tous les prétendants. Veux-tu rester seule à tout jamais?

La jeune fille roula des yeux pour exprimer son exaspération. Puis, autant pour se débarrasser de son père que de Finn, en posant des conditions tellement impossibles à réaliser que le mariage ne pourrait se faire, elle répliqua, insolente:

– Je veux que Finn me donne un couple de chaque animal sauvage présent à Ériu. Il devra les réunir en un seul troupeau et les amener ici, devant la forteresse de Tara. S'il ne réussit pas, alors je ne serai pas sa femme.

Le lendemain matin, Cormac, quelque peu gêné, fit part de la volonté de Grania aux deux Fianna.

– Je trouve ces exigences plutôt extra-vagantes, s'excusa le père, mais c'est ce qu'elle a répondu.

– Nous transmettrons son message à Finn, certifia Ossian.

Puis les deux envoyés prirent rapidement congé de Cormac, de Conn aux Cent Batailles et de toute la cour de Tara, car ils avaient hâte de rapporter la nouvelle à Finn. Une fois de retour dans la forteresse d'Allen, ils se précipi-tèrent dans la grande salle où le roi des Fianna s'exerçait aux armes avec plusieurs guerriers et firent le rapport de leur visite dans la capitale d'Ériu.

– Grania demande l'impossible, fulmina Finn en replaçant son épée dans son fourreau. Elle cherche à me décourager. Mais elle ne me connaît pas encore. Une jeune fille qui réclame de tels exploits mérite probablement que l'on fasse des prouesses pour elle…

– Je peux t'aider, Finn ! proposa aussitôt Cailté aux Longues Jambes. J'y ai pensé pendant tout le chemin de retour et voici ce que je te suggère. Je vais parcourir le pays et ramener un couple de chaque animal que je trouverai aussi bien sur terre que dans les airs ou les eaux. Je mettrai toute mon énergie pour réussir.

– Merci de ton aide, mon vieil ami. Je crois que tu es bien le seul à pouvoir réussir un tel exploit.

En effet, Cailté était doté d'un don tout particulier qui lui avait valu son surnom de Longues Jambes. Sa vitesse lui permettait de parcourir Ériu du nord au sud et d'est en ouest en une seule journée. Il pouvait franchir les montagnes d'un bond, enjamber les ravins les plus profonds d'un seul pas, survoler les marécages les plus traîtres, traverser les forêts les plus denses et les plateaux les plus balayés par les vents, sans même verser une seule goutte de sueur.

Ainsi donc, en moins de temps qu'il n'en faut pour le dire, Cailté s'empara d'un couple d'aigles, de roitelets, de cygnes, de pluviers, de hérons, bref, de tous les oiseaux qui survolaient Ériu. Puis, il attrapa un bouc et une chèvre, un sanglier et une laie, une biche et un grand cerf, une vache et un taureau, des renards, des loups, des ours, des chevaux, des chiens, des chats, des souris et des rats, ainsi que tous les mammifères qui peuplaient les plaines et les forêts. Dans les lacs et les rivières, il sut capturer vivants des truites, des saumons, des grenouilles. Il n'oublia pas non plus les insectes : fourmis, araignées, moustiques, moucherons, abeilles, libellules… et tant encore !

Entre le lever et le coucher du jour, Cailté parvint à rassembler devant Allen des milliers d'animaux de toutes les espèces. Ils furent placés sous la garde des Fianna. Il fallait empêcher les grenouilles de gober les moucherons, les loups de dévorer les moutons, les ours d'avaler les saumons, les chats de manger les souris et les rats…

– Tout est prêt, dit-il à Finn qui se tenait ahuri devant les portes d'Allen et s'extasiait des prouesses de son fidèle ami Cailté.

– Eh bien, partons sans tarder pour Tara ! décréta le roi des Fianna qui craignait que tout ce petit monde ne finisse par s'entredévorer si on tenait trop longtemps tous les animaux réunis dans un même endroit.

Le cortège, pour le moins étrange, se mit en marche. Quatre jours plus tard, lorsqu'ils furent au pied des remparts de la ville sacrée, vinrent de partout des centaines de nobles et de guerriers, d'artisans et de commerçants, de paysans et de matrones pour admirer le spectacle. Ça grouillait, sautait, coassait, roucoulait, bêlait, ululait, grondait, grognait, croassait, sifflait à qui mieux mieux. La plaine devant Tara était recouverte d'animaux à quatre et à deux pattes, et le ciel était obscurci de milliers de paires d'ailes. La rivière foisonnait de poissons divers et ses abords d'insectes de toutes tailles.

Dès que Grania apparut au sommet des remparts de Tara et put constater que Finn avait rempli ses conditions, Cailté ordonna que l'on relâchât les animaux par genre, pour donner le temps aux proies de s'éloigner des prédateurs.

– Eh bien, qu'en penses-tu ? demanda Cormac à sa fille, dont le visage était devenu livide et dont les mains s'étaient glacées.

Elle ne répondit pas, mais en se tournant vers elle, Cormac vit qu'elle pleurait. Mais comme elle avait donné sa parole, elle accepta d'épouser Finn qui, à ses yeux, n'était qu'un horrible vieux chef d'une soixantaine d'années.

Lorsque la nouvelle fut connue de tous les royaumes, les hommes et les femmes d'Ériu affluèrent pour célébrer les épousailles.

– Aïe! fit Celtina, interrompant encore une fois le récit d'Ossian. J'envisage le pire pour Finn. La jeune Grania s'est soumise, mais j'ai bien peur que cette histoire ne tourne mal. Son caractère va la pousser à faire quelque chose pour se soustraire à Finn.

La prêtresse regarda Ossian dont le regard fixe témoignait qu'il évoluait toujours dans l'avenir.

– Voyons maintenant de quoi a l'air cette noce, fit Celtina en se glissant de nouveau dans les pensées d'Ossian.

Les serviteurs se faufilaient entre les guerriers et les nobles dames réunis dans Tara, la ville sacrée. Certains portaient des plateaux chargés de victuailles, d'autres faisaient circuler des cornes à boire remplies d'hydromel, de bière, de cidre et même de vin de Massalia, de Narbonnaise et d'Italie. Les convives, qui portaient leurs plus beaux atours, riaient, chantaient, se saluaient, se racontaient des anecdotes, pendant que les bardes accordaient les cordes de leur harpe et s'éclaircissaient la voix avant de chanter les prouesses de leur hôte, le vaillant Finn, chef de l'Ordre des chevaliers des Quatre Royaumes. Les hommes portaient fièrement les couleurs de leur clan en affichant des kilts colorés, ressemblant un peu à ceux de leurs cousins de Calédonie. Les femmes avaient revêtu de longues robes taillées dans le lin, la fine laine ou les tissus les plus délicats comme la soie, souvent importés des colonies romaines d'Asie, ou même de plus loin encore, pour les plus fortunées d'entre elles. C'était la fête et le bonheur resplendissait sur le visage des invités.

Tous étaient heureux. Tous sauf une. Grania avait le visage long et elle s'était isolée dans un coin.

– Eh bien, que se passe-t-il, ma fille? demanda Cormac en venant la rejoindre pour lui offrir une tendre cuisse de faisan bien rôtie. Es-tu malade?

– Ah, père! Je ne me sens vraiment pas très bien. J'ai le cœur si gros que j'ai l'impression qu'il va éclater.

– Je m'en vais chercher de l'aide, rassure-toi! lança Cormac en se dirigeant vers son druide.

– Dara, fais quelque chose pour ma fille, murmura-t-il en se penchant vers l'oreille du sage. Va lui parler, tâche de la distraire… Elle est si malheureuse que je ne sais comment la consoler.

Dara s'empressa de rejoindre Grania. Il la connaissait depuis sa naissance.

– Pourquoi ce festin? demanda la jeune fille au druide.

– Mais voyons! fit le druide. Tu le sais bien! Nous célébrons ton mariage avec Finn, le roi des Fianna, le plus noble de tous les hommes d'Ériu.

Grania baissa la tête comme sous le poids d'un lourd chagrin, puis des larmes coulèrent silencieusement sur ses joues pâles. Dara était bien embêté et ne savait quoi lui dire pour lui remonter le moral.

– Je vois très bien que nous sommes en très bonne compagnie, mais je ne connais aucun des Fianna de cette assemblée, si ce n'est Ossian et Cailté… Qui est ce guerrier farouche et borgne qui parle au fils de Finn?

– Ah oui, je vois de qui tu parles. C'est Goll, du clan de Morna. Autrefois, c'était l'un des plus grands ennemis de Finn, mais maintenant il suivrait son roi jusque chez les Fomoré s'il le fallait.

– Et ce jeune homme blond et si délicat, qui s'amuse avec les chiens Bran et Scolan?

– C'est Oscar, le fils d'Ossian, le meilleur chasseur de la troupe…

– Décidément! intervint Celtina en quittant quelques secondes l'esprit de l'enfant. Cette famille est placée sous le signe des cervidés. Le premier nom de Finn était Demné, le daim; sa femme s'appelait Sadv et était une biche blanche; son fils est Ossian, le Petit Faon; et le nom de son petit-fils, Oscar, signifie «Celui qui aime les cerfs».

La prêtresse se hâta de replonger dans l'esprit d'Ossian pour y découvrir la suite de la noce. Grania était encore en train d'interroger Dara.

– Lui, je le reconnais, c'est Cailté aux Longues Jambes. D'après ce que l'on m'a dit, c'est lui qui a réussi à réunir tous les couples d'animaux sauvages que j'avais demandés en dot.

– Oui, c'est le meilleur coureur d'Ériu, confirma Dara. Personne ne peut aller plus vite que lui. Je ne pense même pas qu'il existe quelqu'un d'aussi rapide dans toute la Celtie ou même chez les Romains et les Grecs.

– Oh! Et ce jeune homme au teint blanc comme la neige sur la plaine, aux lèvres aussi rouges que le coquelicot en été et aux cheveux plus noirs que les plumes du corbeau, qui est-ce?

– C'est Diairmaid, fils de Mac Oc. Sa beauté, sa bravoure et sa générosité en font le Fianna le plus apprécié de tous.

– Merci, Dara, de m'avoir présenté ainsi quelques membres de la troupe. Je me sens un peu moins perdue maintenant. Irais-tu me chercher un peu de nourriture?

– Bien sûr. Je reviens, s'exclama le druide, heureux de voir que Grania semblait moins triste.

Il s'élança à la poursuite d'un porteur de plateau. Dès qu'il l'eut quittée, Grania interpella une servante qui s'occupait d'elle depuis plusieurs années.

– J'ai besoin de ma corne à boire, elle est restée dans ma chambre, près de mon lit, ramène-la-moi.

La femme obéit sur-le-champ et s'éclipsa de la noce, puis revint peu après avec la corne, dans laquelle Grania avait déposé une fine poudre blanche quelques heures auparavant.

– Va porter un peu de vin à mon époux et demande-lui de boire pour l'amour qu'il me porte.

La servante s'empressa de faire ce que Grania lui demandait. Étonné, Finn leva d'abord la corne à son front pour saluer sa jeune épousée, puis avala la boisson. La servante revint porter la corne à Grania et celle-ci lui demanda de la remplir de nouveau. Pendant que la femme interpellait un serviteur chargé de la distribution des boissons, Grania versa encore de la fine poudre dans la corne.

– Et maintenant, va porter cette corne à Goll et demande-lui de boire en mon honneur !

La servante s'exécuta et revint vers Grania. Un à un, la jeune fille demanda à tous les Fianna de boire pour lui rendre hommage. Toutefois, elle recommanda à la servante de ne pas présenter sa corne à Ossian, à Cailté, à Oscar et à Diairmaid.

Tous les Fianna furent flattés du geste de Grania envers eux et tous burent avec bonheur, faisant même passer la corne de main en main. Puis la fête continua à battre son plein pendant quelques moments. Soudain, Finn se sentit étourdi et, pensant avoir abusé des bonnes choses de la table, il se laissa tomber sur son siège recouvert de sa peau de cerf. Goll commença lui aussi à se sentir fatigué et s'écrasa près de ses compagnons de clan dont plusieurs étaient déjà endormis. Un à un, les Fianna ressentirent brusquement une grande fatigue et plusieurs s'écroulèrent sur le sol avant même d'avoir eu le temps de prendre un siège.

Le visage de Grania s'éclaira alors d'un vaste sourire. La jeune fille quitta son coin et vint rejoindre les quatre Fianna qui n'avaient pas succombé à la poudre soporifique qu'elle avait mélangée aux boissons. Les quatre hommes étaient éberlués de constater que tous leurs compagnons dormaient à poings fermés, et certains ronflaient même allègrement.

– Ne vous inquiétez pas pour eux, fit Grania. Ils se réveilleront bientôt et ne se rappelleront pas qu'ils se sont écroulés de fatigue.

– Pourquoi as-tu fait cela? gronda Ossian, véritablement furieux.

– Parce que je dois te faire une proposition et que je sais que tu l'aurais refusée si Finn t'avait vu me parler, expliqua la fille de Cormac. Tu es réputé n'avoir peur de rien, Ossian, alors prouve-le et emmène-moi loin de Tara, loin de mon époux.

Le fils de Finn dévisagea Grania. Il n'en croyait pas ses oreilles!

– As-tu perdu la tête! s'enflamma-t-il. Est-ce l'hydromel qui t'a embrouillé l'esprit?

– Je n'ai rien bu, l'assura la jeune fille. Je te le demande une dernière fois : veux-tu t'enfuir avec moi loin d'ici ?

– Oublies-tu que Finn est mon père ? Si je faisais ce que tu me demandes, je serais déshonoré à jamais. Non, il n'en est pas question.

– Merci, Ossian. Si tu avais accepté, tu n'aurais reçu que mon mépris, car trahir son père est la pire des vilenies. Je te laisse tranquille.

Grania se dirigea ensuite vers Diairmaid et s'assit près de lui.

– Diairmaid, si je te proposais mon amour, l'accepterais-tu ?

Le jeune guerrier se figea, la bouche ouverte et les yeux écarquillés. Il se demanda un instant s'il avait bien entendu. Au fond de lui, il était profondément inquiet. Il voulait écouter sa raison, mais son cœur battait la chamade. Depuis qu'il avait vu la fille de Cormac, Diairmaid était tombé amoureux. Cependant, son regard se porta vers Finn, profondément endormi sur son siège.

– C'est impossible ! s'exclama-t-il. Je ne peux pas aimer la femme de Finn. Tu es l'épouse du roi des Fianna, l'oublies-tu ? Tu viens pour me torturer et me proposer l'impossible.

– Je n'ai pas choisi Finn pour époux, se rebiffa Grania. C'est lui qui m'a voulue. Moi, je ne l'aime pas. Il est trop vieux. Celui que j'aime depuis fort longtemps, c'est toi, Diairmaid.

– C'est impossible, tu ne m'as jamais vu avant ce soir ! répondit le fils de Mac Oc en tentant de s'écarter de la jeune femme.

– Je t'ai vu une fois, il y a une dizaine d'années. Tu étais venu à Tara avec les Fianna…

– Mais tu n'étais qu'une enfant à l'époque ! objecta le jeune homme.

– Oui. Pendant que tu jouais au hurling* avec les hommes de ton clan contre les défenseurs de Tara, mon regard s'est posé sur toi. J'étais dans ma chambre, derrière ma fenêtre qui donnait sur la plaine où se déroulait la partie. Tu maniais le caman* et le sliothar* comme aucun autre joueur. Tu étais si beau. Aucune femme ne peut te voir sans tomber amoureuse de toi, tu le sais bien, fils de Mac Oc.

Diairmaid avala sa salive. Il songea que le don dont Aël lui avait fait présent était vraiment un cadeau empoisonné. Il tentait de réfléchir, mais la beauté de Grania accaparait tout son esprit. Il voulait lui résister, mais déjà son cœur ne battait plus que pour elle.

– Tu hésites, Diairmaid. Je peux lire en toi. Ta raison invoque des raisons que ton cœur ne peut entendre… Cesse de te débattre. Je suis plus forte que toi et je te place sous une geis : si tu ne pars pas avec moi ce soir même, avant le réveil de Finn et des autres Fianna, il n'y aura pour toi que mort et destruction. Ossian, Cailté et Oscar en sont les témoins, ma geis ne peut être levée. Mort et destruction si tu ne t'enfuis pas avec moi !

Pétrifiés, les quatre Fianna se regardaient sans oser échanger une seule parole. Jamais aucun d'eux n'aurait même pu imaginer que Grania pût abattre un interdit sur la tête de l'un d'entre eux. Diairmaid était anéanti.

– Je t'attends près de l'écurie, ajouta Grania en se levant avec vivacité. Mes effets personnels sont déjà prêts. Nous partons pour un très long voyage… sans retour. Finn n'abandonnera pas et va nous poursuivre, mais il est hors de question que je revienne vers lui. Plutôt la mort avec toi, Diairmaid, que la vie à ses côtés.

La jeune fille s'élança hors de la salle, laissant le fils de Mac Oc désemparé. Il ne savait que dire ou que faire. Ossian, Cailté et Oscar étaient également muets. Personne n'osait croire à ce qui venait de se passer.

– Que dois-je faire ? demanda finalement Diairmaid à ses amis.

– Tu n'as aucun reproche à te faire, l'assura Ossian. Tu n'as pas cherché à provoquer cette geis. Par contre, je te conseille d'emmener Grania le plus loin possible d'Ériu, car mon père te poursuivra sans relâche de sa haine. Tu risqueras le pire lorsqu'il nous ordonnera de nous lancer sur ta piste…

– Et toi, Oscar, mon ami, mon frère, que dis-tu ?

– Je dis comme Ossian. Quitte Ériu sans te retourner.

– Je dis la même chose, intervint Cailté. Je ne vois pas comment tu pourrais te soustraire à cette geis, mais la vengeance de Finn sera terrible. Il ne te lâchera pas jusqu'à ce que tu périsses et, malgré notre amitié, nous serons obligés de lui obéir et de te traquer.

– Bien, puisque ce sont les seuls conseils que vous puissiez me donner, je ferai ce que vous dites. Adieu, mes chers amis, vous me manquerez terriblement !

Diairmaid serra ses amis un par un entre ses bras. Ils avaient du mal à se quitter. Pourtant, à un moment, le fils de Mac Oc rompit les étreintes et courut vers sa chambre pour y préparer ses armes et son équipement. Lorsqu'il arriva à l'écurie, Grania y était déjà. Elle avait fait seller le coursier de Diairmaid et attelé un chariot dans lequel elle avait entassé tous ses effets personnels. Diairmaid sauta sur sa monture, s'empara des rênes du cheval qui tirait le chariot de Grania et, à la faveur de la nuit, profitant du sommeil de tous, les deux jeunes gens sortirent de Tara.

– Oh non ! soupira Celtina. Les amis de Diairmaid ont raison, Finn ne laissera pas cet affront impuni. Le fils de Mac Oc et Grania ne trouveront aucun endroit assez sûr pour se réfugier. Quelle folie ! Que va-t-il se passer ensuite ?

Celtina réintégra l'esprit de l'enfant. Elle constata rapidement qu'il était très fatigué et que cette vision pesait lourdement sur ses facultés mentales. *Encore une dernière scène et ensuite je le laisse revenir à lui. Nous continuerons l'expérience lorsqu'il sera reposé*, songea-t-elle.

Elle vit Diairmaid et Grania qui sortaient de l'enceinte sacrée. Ils avaient parcouru une certaine distance lorsque le jeune guerrier tenta de nouveau de convaincre Grania de retourner sur leurs pas.

– Il est encore temps de retourner à Tara et de reprendre ta place près de Finn, lui dit-il.

– Non, je n'y retournerai pas. Et toi non plus, s'entêta la jeune fille. Et ce, jusqu'à ce que la mort nous sépare.

Diairmaid soupira, baissa la tête et continua de progresser sous les pâles rayons de la lune. Ils arrivèrent finalement devant une rivière et Grania lui dit qu'elle était fatiguée et voulait se reposer.

– Retournons à Tara. Tu y possèdes une belle chambre, des amis chaleureux, un père qui t'adore et un mari qui te respectera et te fera honneur, tenta une fois de plus le jeune homme.

Grania ne répondit pas et sauta du chariot.

– Nous trouverons sûrement un refuge de l'autre côté de cette rivière, fit-elle en explorant les alentours pour y trouver un passage à gué.

– Dis-toi bien que je ne te porterai pas, fit Diairmaid, comprenant que Grania ne reviendrait pas sur sa décision. Jamais. Tu as voulu quitter le nid douillet de Tara, eh bien, tu devras marcher et peiner, peu importent les chemins que nous emprunterons !

La jeune fille haussa les épaules et entra dans l'eau pour traverser la rivière. Diairmaid la suivit en guidant le cheval qui tirait le chariot. Il savait qu'en franchissant cette rivière, il ne leur serait plus possible de revenir en arrière, car ils quitteraient les limites de la Terre du Milieu, la terre sacrée où les guerres et les attaques étaient interdites à tous.

Sur ces images de fuite, Celtina s'écarta de l'esprit du jeune Ossian et le laissa se reposer. Elle était terriblement triste pour Diairmaid. Il ne faisait aucun doute que son destin serait terrible.

Chapitre 14

Assise dans les herbes sèches de l'îlot où elle avait trouvé Ossian, Celtina était plongée dans ses réflexions. Tout autour d'elle, la nature bruissait et vibrait. Le chant harmonieux des flamants roses accompagnait ses pensées, tandis que les grenouilles, indifférentes à ses interrogations, bavardaient entre elles. À ses côtés, épuisé par sa vision prophétique, l'enfant dormait profondément. La prêtresse se demanda si elle allait l'inciter à renouveler cette expérience pour connaître la suite des aventures de Grania et de Diairmaid ou si, au contraire, elle allait plutôt le convaincre de ne pas le faire.

Elle examina le visage pâle, doux et délicat du gamin. Il ne semblait pas avoir souffert de cette projection dans l'avenir, mais une deuxième tentative pourrait ne pas tourner aussi bien et se révéler très traumatisante pour le petit oracle.

– Je pense que nous devons connaître la suite de cette histoire, intervint Malaen en agitant sa belle crinière pour chasser quelques moustiques insistants.

– Je ne sais pas, répondit Celtina. Est-ce que connaître l'avenir est une si bonne chose ?

– Peut-être pourras-tu intervenir et ainsi détourner Diairmaid de son funeste destin ? poursuivit le tarpan. Les êtres disposent du libre arbitre ; rien n'est jamais définitif. Le fils de Mac Oc peut décider de suivre une autre voie qui l'éloignera de Grania.

– Oui, mais justement, Diairmaid n'est pas un être comme les autres. Il est le fils d'un Thuatha Dé Danann et d'une Bansidh. Pourrais-je influencer le destin d'un demi-dieu ? Qu'en penses-tu ? S'il ne va pas jouer au hurling sous les fenêtres de la fille de Cormac à Tara, il aura une chance d'échapper à son destin, car ne l'ayant jamais vu, elle ne tombera pas amoureuse de lui.

– Peut-être… Il vaut mieux que tu saches la suite de l'histoire, balbutia Ossian en s'étirant.

Ni Celtina ni Malaen ne l'avaient vu ni entendu se réveiller. La prêtresse sourit à Petit Faon.

– Je me sens concerné, moi aussi, car je suis le fils de Finn. Je veux connaître la suite. Donne-moi quelques flocons de belenountia…

– Est-ce bien raisonnable, Ossian ? Ta dernière vision ne remonte qu'à quelques heures… Il faudrait peut-être attendre au moins une journée complète.

– Non. Ce n'est certainement pas raisonnable, répondit le garçon en débarrassant sa tignasse noire de quelques brindilles sèches d'ajonc, mais si nous ne faisions que des choses raisonnables, on ne ferait assurément pas grand-chose ! Allez, laisse-moi y retourner.

Celtina quêta du regard l'avis de Malaen. Le petit cheval secoua la tête, une façon de lui dire que la décision lui appartenait, mais qu'il l'approuverait quelle qu'elle fût. Elle laissa s'écouler de longues secondes pendant lesquelles elle s'interrogea sur la pertinence de renvoyer Ossian dans ses visions. Elle voulait faire preuve de prudence. Toutefois, sa curiosité était aussi grande que sa réserve.

– D'accord, finit-elle par souffler. Mais ce sera la dernière fois.

Elle tendit à l'enfant trois petits flocons de la plante de divination. Il les mâcha avec application. Puis, Ossian ferma les yeux, semblant entrer en lui-même, avant que par sa bouche ne s'échappent les premières descriptions des scènes d'avenir qu'il entrevoyait.

– Où sommes-nous ? demanda Grania. Nous chevauchons depuis des jours. Tara doit être fort éloignée maintenant…

– Je crois que cette rivière est la Sinn Ann, répondit Diairmaid. Finn doit maintenant être à notre poursuite. Il lui sera facile de suivre les traces de nos chevaux et de notre chariot.

Inquiète, Grania jeta un coup d'œil derrière elle, comme si elle s'attendait à voir surgir les Fianna à l'horizon.

– Tu as raison. Puisque nous sommes assez loin de Tara, il vaut sûrement mieux abandonner nos chevaux et la charrette pour poursuivre notre fuite à pied.

Diairmaid ne répondit rien, mais se hâta de détacher le chariot et de libérer les chevaux.

– Mais… mes vêtements! protesta la jeune fille en voyant que son ami se contentait de prendre ses armes, quelques effets personnels et un petit sac contenant ce qui leur restait de nourriture, abandonnant le reste dans le chariot.

– Si tu prends un sac de vêtements, tu le porteras! grommela le guerrier tandis que Grania ramassait rapidement deux robes qu'elle roula en boule et dans lesquelles elle enfouit une paire de sandales.

Déjà, Diairmaid avait de l'eau jusqu'aux cuisses et s'enfonçait dans la rivière qui, à cet endroit, permettait un passage sécuritaire. Grania s'élança à sa suite, non sans lancer quelques noms d'oiseau à son compagnon entre ses dents serrées.

Le fils de Mac Oc avait raison. Les hommes du clan de Navin, les plus habiles pisteurs des Fianna, avaient rapidement su déterminer la route prise par les fugitifs. Chacun des lieux de halte fut trouvé. Parfois, c'était la hutte d'osier tressé qui les avait abrités qui était découverte, plus loin, les lits d'ajoncs où ils avaient dormi. Cependant, dans chaque endroit, Navin, le chef des pisteurs, trouvait des indices laissés par Diairmaid. Ici, c'était un morceau de pain, là, un saumon cru. Le jeune guerrier laissait des messages subtils à l'intention de son ancien roi pour lui signifier qu'il traitait Grania comme sa sœur et non comme sa femme. Mais Finn était trop en colère pour se laisser amadouer. Il menaça même de mort les pisteurs lorsque ces derniers, parvenus à l'endroit où Diairmaid avait abandonné le chariot, perdirent la piste des deux fuyards.

Navin s'empressa de donner ses ordres et ses hommes traversèrent le cours d'eau à l'endroit même où Diairmaid et Grania étaient passés. Après avoir examiné les berges minutieusement, Navin dut se rendre à l'évidence. Il était incapable de retrouver la piste. Il alla retrouver Finn et avoua son échec. Le roi des Fianna éclata d'une telle rage que plusieurs craignirent pour sa vie : il était rouge de colère, de l'écume blanche perlait à ses lèvres et il s'étouffait.

– Père, intervint alors Ossian, campons ici ce soir. Demain, dès le lever du jour, nous reprendrons les recherches. Il fait trop sombre maintenant pour que nous puissions retrouver la plus petite piste.

Finn serra les lèvres si fort qu'une goutte de sang apparut. Puis, sans répondre, il descendit de cheval et ramassa des herbes sèches pour se constituer un lit pour la nuit.

Tous comprirent qu'il leur accordait un délai. Mais, brusquement, il s'exclama :

– Ah, je sais ! S'ils sont passés ici, je sais où ils vont se réfugier. Demain, à l'aube, nous cernerons la forêt de Doire pour les débusquer.

Ossian, Oscar et Cailté échangèrent des regards terrifiés. La menace était claire et rien ne pourrait plus empêcher Finn d'attenter à la vie de Diairmaid. Sous prétexte de prendre soin des chevaux, les trois Fianna se retirèrent à l'écart.

– Nous ne pouvons désobéir à mon père, observa Ossian. Par contre, rien ne nous empêche d'aider Diairmaid. Oscar, je te charge de lâcher Bran à l'insu de son maître pendant que Cailté et moi détournerons l'attention de Finn. Ce chien adore Diairmaid, il saura le retrouver. Je vais attacher un morceau de tissu aux couleurs de notre clan au collier de Bran. Diairmaid comprendra que nous ne sommes plus très loin. Il se tiendra sur ses gardes.

Aussitôt, le plan fut mis en application. Bran, qui avait une intelligence humaine puisqu'il était un des neveux de Finn transformés en chiens, comprit ce qu'Oscar attendait de lui. Il s'élança vers la forêt. Il lui fallut peu de temps pour repérer l'odeur de Diairmaid. Sans détour, le chien bondit vers la hutte où les fugitifs dormaient.

Ce fut la truffe humide de Bran sur son nez qui réveilla Diairmaid en sursaut.

Reconnaissant aussitôt le chien, le jeune demi-dieu bondit sur son épée, prêt à riposter si les Fianna l'attaquaient. Mais les jappements joyeux de Bran le rassurèrent : l'animal était seul. Les aboiements réveillèrent Grania.

– Regarde, le chien porte un morceau de tissu attaché à son collier…

Diairmaid retira le ruban et l'examina.

– Hum ! Les Fianna ne sont pas bien loin, ils vont sûrement pénétrer dans cette forêt dès le lever du soleil.

– Nous ne devons pas rester ici, vite, fuyons ! le pressa Grania en ramassant ses affaires personnelles.

– Non. Je ne fuirai pas éternellement devant Finn, protesta Diairmaid. Si Bran nous a retrouvés aussi facilement, le roi des Fianna le pourra aussi, car Scolan est un aussi bon chien pisteur que son frère. Que Finn nous tue maintenant ou plus tard, je ne vois pas la différence.

– Cette forêt est vaste, ne crains rien. Viens, personne ne nous découvrira. Partons avant qu'il ne soit trop tard, insista la jeune fille.

Pendant ce temps, dans le campement des Fianna, Ossian, Oscar et Cailté discutaient à voix basse, assis près du feu de camp. Ils s'étaient proposés pour assurer le premier tour de garde afin de pouvoir discuter loin des oreilles indiscrètes.

– J'ai peur que Bran revienne et n'avertisse Finn du lieu où Diairmaid se terre, déclara Oscar.

– Moi, ce qui m'inquiète, c'est plutôt que Bran n'ait pas réussi à trouver notre ami pour lui transmettre notre avertissement.

– Demandons à Fergor, proposa alors Cailté. Il possède une voix si puissante qu'on peut l'entendre à plusieurs leucas à la ronde. Et comme c'est un sorcier, il peut faire en sorte que ses cris ne soient entendus que par la personne à qui ils sont destinés.

– Oui, tu as raison. Réveillons Fergor.

Cailté s'empressa de rejoindre le crieur qui dormait à poings fermés. Après qu'on lui eut expliqué ce qu'on attendait de lui, le Fianna poussa trois cris qui semblèrent inaudibles aux oreilles d'Ossian, d'Oscar et de Cailté, mais qui percèrent les profondeurs de la forêt de Doire.

– Par Hafgan! s'exclama Diairmaid. Je reconnais la voix de Fergor. Il nous prévient que Finn et les Fianna sont tout près.

– Il n'y a plus d'hésitation à avoir. Fuyons! le pressa encore Grania.

Cette fois, Diairmaid rassembla ses armes et quelques objets dont ils ne pouvaient se passer, puis ils s'enfoncèrent plus loin au cœur de la vaste et sombre forêt. Il faisait encore nuit, mais les fugitifs n'avaient pas le choix, ils devaient mettre le plus de distance possible entre eux et leurs poursuivants.

Diairmaid et Grania ne s'arrêtèrent qu'une seule fois, en milieu de journée, pour faire griller un oiseau que le Fianna avait tué et pour se désaltérer à une source puis, même s'ils étaient épuisés, ils reprirent leur route.

Pendant ce temps, Finn et ses hommes étaient arrivés à l'endroit où les fuyards avaient passé la nuit. En mangeant le Saumon de la Connaissance*, le roi des Fianna avait acquis un don particulier : il n'avait qu'à placer son pouce dans sa bouche afin que le passé et l'avenir lui soient révélés. Finn mordilla donc son doigt et un grand sourire illumina son visage, le premier depuis qu'il s'était lancé à la poursuite de sa femme et du guerrier.

– Ah, ils ne sont pas bien loin, juste ici dans une clairière, je le pressens, même si Grania tente de cacher leur présence en usant de sortilèges ! Arrêtons-nous pour la nuit. Demain matin, au lever du soleil, nous les prendrons par surprise. Navin, demande à l'un de tes pisteurs de me les trouver.

Sur un ordre de Navin, un des hommes grimpa dans un arbre et scruta les alentours.

– Je vois Diairmaid, cria-t-il à Finn. Une femme l'accompagne. Je ne la connais pas.

– Ah ! Le voici donc, le traître, le scélérat… Qu'il soit maudit et tous ceux qui l'aident avec lui.

– Que veux-tu dire, père ? s'inquiéta Ossian.

– Vous croyez peut-être que je n'ai pas vu vos manigances à toi, à Oscar et à Cailté? Vous avez envoyé Bran l'avertir du danger. Puis Fergor a poussé trois cris pour annoncer notre approche… Me prends-tu pour un idiot? Oublies-tu que je détiens toutes les connaissances du monde? Ils sont ici, ensemble. Jamais ils n'en ressortiront vivants.

– La colère est mauvaise conseillère, père! lança Ossian. Tu sais que Diairmaid est le fils de Mac Oc et de Caer, la fille du prince des Bansidhe. Il peut, s'il le veut, sortir d'ici sous ton nez et aller se réfugier dans l'Autre Monde où tu ne pourras jamais l'atteindre.

– Cesse de jacasser en vain, Ossian. Nous allons prendre Diairmaid et Grania dans nos filets comme des oiseaux.

Pendant qu'Ossian retenait le bras vengeur du chef de l'Ordre des chevaliers des Quatre Royaumes, Diairmaid et Grania s'étaient éloignés très rapidement de la clairière. Ils venaient tout juste d'atteindre une forteresse abandonnée depuis longtemps. Cette forteresse avait la particularité d'être fermée par sept portes de bronze. Diairmaid en trouva une entrebâillée. Il la poussa et pénétra derrière les remparts, suivi comme son ombre par Grania. Puis, le jeune homme vérifia les six autres portes. Elles étaient toutes bien verrouillées; personne ne pourrait investir la place.

– Nous serons en sûreté ici! Si nous n'ouvrons pas cette porte, personne ne pourra pénétrer dans la forteresse.

Entre-temps, Finn avait envahi la forêt de Doire, mais ne trouvant nulle part les fugitifs, il s'était lui aussi avancé vers la forteresse. Après avoir passé les palissades, Finn fit encercler la place par ses hommes. Les Fianna obéirent à leur roi à contrecœur, car ils aimaient Diairmaid qui s'était toujours montré un très bon chef et un agréable compagnon.

– Il faudra bien qu'ils sortent un jour ou l'autre! cria-t-il à ses hommes. Ils sont pris au piège.

La poursuite dont était victime Diairmaid n'était cependant pas passée inaperçue dans le Síd. Son père, Mac Oc, avait suivi de loin les péripéties des deux fuyards.

Doté, comme tous les Thuatha Dé Danann, du don d'invisibilité, Mac Oc se hâta de voler au secours de son fils qu'il aimait tendrement. Il enfila son grand manteau sombre qui lui permettait de se déplacer avec le vent et se précipita vers la forteresse de la forêt de Doire.

Quelques secondes plus tard, le Jeune Soleil fit irruption dans la place. Diairmaid ne put contenir sa joie de le revoir.

– Vite, glissez-vous sous mon grand manteau, fit Mac Oc en écartant les pans de sa longue cape comme les ailes d'une chauve-souris.

– Non, père! protesta Diairmaid. Je ne suis pas un lâche. Je n'ai rien fait de mal. Je ne fais que respecter la geis que m'a lancée Grania. Je ne serai pas un traître à mon roi, je le respecte trop, malgré sa volonté de me tuer sans même m'écouter. Nous devons nous expliquer face à face. Ramène Grania à son père, à Tara… Quant à moi, c'est par cette porte de bronze que je sortirai, debout comme un homme. Et si je suis tué, eh bien, j'espère que vous penserez à moi de temps en temps.

Grania déposa un baiser sur le front de Diairmaid et se faufila sous la cape de Mac Oc.

– Attendez-moi tout le jour au Gué des Ormes, sur la Sinn Ann, j'essaierai de vous y rejoindre.

– Bonne chance, fils! répondit le Jeune Soleil.

Puis, refermant son manteau, le dieu et Grania disparurent. Diairmaid sortit son épée de son fourreau, puis il se dirigea vers la porte de bronze de la forteresse. Il cria:

– Qui se trouve de l'autre côté de cette porte?

– Des amis… Ossian et Oscar, et des hommes du clan de Baiscné. Ouvre et suis-nous, personne ne te fera de mal.

– Non, répliqua Diairmaid. Je n'ouvrirai que devant Finn.

Puis, le demi-dieu se dirigea vers une seconde porte et renouvela sa question:

– Qui se trouve de l'autre côté de cette porte ?

– Cailté, avec tout le clan de Ronan, fit une voix. Viens avec nous, personne ne te fera de mal.

– Non, réitéra Diairmaid. Je n'ouvrirai que devant Finn.

Il courut vers la troisième porte et reposa sa question :

– Qui se trouve de l'autre côté de cette porte ?

– Conan le Chauve et les hommes du clan de Morna, répondit-on. Sors de là, nous te laisserons passer sans t'agresser.

– Non, répéta Diairmaid. Je n'ouvrirai que devant Finn. Je ne veux pas m'enfuir. Je dois lui parler.

Diairmaid s'en alla vers la quatrième porte, mais il n'y trouva que Cuan, chef des Fianna de Mhumhain, qui l'assura que ses hommes et lui étaient prêts à donner leur vie pour le sauver.

– Non, je ne veux pas vous voir mourir pour moi, répondit Diairmaid. Cette querelle ne regarde que Finn et moi.

Derrière la cinquième porte, ce fut Glore à la Voix sourde, le chef des Fianna d'Ulaidh, qui s'identifia et proposa à Diairmaid de le défendre contre les attaques des autres membres de la compagnie de chasseurs-guerriers.

– Oh non ! Glore ! fit Diairmaid. Vous êtes des amis trop importants à mes yeux pour que je songe à vous exposer à la colère de Finn.

Derrière la sixième porte, la réponse fut fort différente.

– Je suis Navin, chef des pisteurs. Et nous ne sommes pas tes amis. Ouvre et viens te battre. Nous te tuerons et Finn nous vouera sa reconnaissance éternelle pour l'avoir débarrassé d'un scélérat tel que toi.

– Non. Je n'ouvrirai pas à des gens qui tiennent des propos aussi méprisants, gronda Diairmaid avant de s'élancer vers la septième et dernière porte.

– Qui est derrière cette porte ? demanda-t-il, une fois de plus.

– Celui que tu cherches. Je suis Finn, fils de Cumhal, le roi des Fianna, le chef de l'Ordre des chevaliers des Quatre Royaumes. Celui que tu as trahi en enlevant Grania, celui que tu as couvert de honte à la face des hommes d'Ériu. Je ne suis pas un assassin et, si tu sors, je te promets un combat à armes égales.

– Oui, je vais ouvrir cette porte, déclara Diairmaid. Je ne suis pas un froussard. Mais auparavant, je veux simplement que tu saches que je n'ai commis aucun crime.

– Comment oses-tu mentir devant tout le monde ? hurla Finn. Sors d'ici !

Diairmaid ouvrit la porte à la volée et, brandissant ses deux javelots devant lui, il se précipita à l'extérieur de la forteresse comme une furie, tandis que Finn hurlait aux Fianna de ne le laisser passer sous aucun prétexte et de le tuer sur-le-champ. Le jeune demi-dieu fut toutefois si rapide et avait eu l'air si terrible que les Fianna restèrent saisis d'effroi devant son apparition ; personne n'eut la présence d'esprit ni la volonté de l'intercepter.

Rapidement, Diairmaid courut à en perdre haleine en direction du Gué de l'Orme, sur la Sinn Ann, là où il avait donné rendez-vous à Mac Oc. Il y trouva son père et la jeune femme en train de faire griller un saumon près d'une cabane que le dieu avait construite pour abriter Grania. Celle-ci poussa de grands cris de joie en voyant revenir celui qu'elle aimait et elle lui sauta au cou.

– Je serai toujours là pour t'aider, mon fils, lui dit Mac Oc. Toutefois, je dois te donner quelques conseils qui pourront épargner ta vie. Quand tu fuiras devant Finn, ne grimpe jamais dans un arbre qui ne comporte qu'une seule branche. N'entre jamais dans une grotte qui ne possède pas une seconde issue. Ne te rends pas dans une île qui n'est séparée de la terre que par un seul chenal. Ne mange pas dans l'endroit où tu auras fait cuire ta nourriture. Et ne dors jamais là où tu as pris ton repas. Peu importe où tu dormiras, tu devras toujours quitter cet endroit avec le premier rayon du soleil…

Puis, Mac Oc s'enroula dans son grand manteau et disparut. Diairmaid et Grania mirent tout de suite en application l'une des recommandations de Mac Oc et décidèrent de ne pas manger sur place, mais plutôt d'emporter le poisson cuit pour le manger en route. Et ce fut ainsi que, pendant près de seize ans, Diairmaid et Grania durent fuir la colère de Finn, sans jamais pouvoir se reposer plus d'une journée dans un même endroit.

– Par Hafgan ! s'exclama Celtina, interrompant ainsi le récit de l'enfant. Je plains de tout cœur Diairmaid. Mais d'après ce que dit le jeune Ossian, il réussira à échapper à la mort pendant seize ans. Je me demande bien ce qui va lui arriver ensuite et s'il va enfin finir par se réconcilier avec Finn…

– … ou s'il va mourir de la main du roi des Fianna ? ajouta Malaen.

– Je connais très bien Finn, c'est un homme juste, répondit la prêtresse. À mon avis, il finira par entendre raison, surtout si Diairmaid parvient à lui prouver qu'il est la victime innocente d'une terrible geis.

– Que décides-tu ? Veux-tu que l'enfant poursuive ses visions ou préfères-tu le ramener parmi nous ? demanda le tarpan.

– Je veux savoir ce qu'il adviendra de Diairmaid, lâcha Celtina en regardant attentivement le visage du jeune Ossian, qui semblait serein et détendu. J'ai décidé que ce serait la dernière séance de divination… Si je l'interromps maintenant, nous resterons dans l'ignorance de ce qu'il adviendra. Il vaut mieux continuer. Vas-y, Ossian, parle-moi encore de Diairmaid.

Chapitre 15

Ossian replongea dans sa vision et raconta dans le moindre détail la fuite de Diairmaid et de Grania, qui dura de nombreuses années.

Un jour qu'ils traversaient une tourbière, Grania glissa sur une touffe de coton des marais et de l'eau gicla sur ses jambes. Alors, ricanant, elle lança à son compagnon de fuite :

– Cette goutte d'eau est plus audacieuse que toi, Diairmaid.

Le jeune homme pivota sur ses talons et dévisagea la jeune femme avec colère :

– Je respecte mon roi en te respectant ! cria-t-il.

– Ha ! Ha ! le provoqua Grania. Tu es un peureux. Toutes les femmes se pâment devant toi, mais tu es incapable d'aimer une femme qui a tout quitté pour toi. Les guerriers d'Ériu se moqueront de toi quand ils apprendront cela. Je te mets au défi de m'aimer… À défaut de quoi, je dirai tant de mensonges sur ton compte que tu seras la risée de tout le pays.

Encore une fois, ce fut donc par une geis que Grania vint à bout de la résistance de Diairmaid. Il n'était plus possible au guerrier de faire autrement et il dut se résoudre à devenir l'amant de la fille de Cormac.

Tout le temps que dura son long exil, Diairmaid dut livrer combat à de nombreux guerriers qui vinrent le défier au nom de Finn, mais que ce fût par la ruse ou par la force, toujours il réussit à les vaincre.

Le couple trouva finalement refuge dans un endroit inhospitalier, bordé des falaises les plus vertigineuses que l'on n'eût jamais vues dans toute la Celtie. Le sol était couvert de roches calcaires striées de fines crevasses où, de-ci de-là, l'eau se déposait et qui, l'été, se remplissaient de petites plantes donnant des fleurs multicolores. Cette région, apparemment sauvage et inconfortable, abritait de nombreuses grottes. Ce fut dans l'une d'elles que les fuyards décidèrent de s'arrêter pour un temps.

Le couple s'installa du mieux possible et mena une vie rude. Mais toujours Diairmaid scrutait l'horizon, convaincu que Finn saurait bien les retrouver.

Pour voisine, ils avaient une vieille femme que Diairmaid avait connue autrefois quand il avait quitté sa mère pour devenir guerrier. Il avait pleinement confiance en elle, et il la chargea d'aller dans le plus proche village pour acheter ce dont lui et sa compagne avaient besoin – nourriture, boisson, vêtements –, car, évidemment, il ne voulait pas se montrer dans les oppida. Et, surtout, il recommanda à la vieille de bien surveiller le coin et de l'avertir au moindre danger. Une tâche dont elle s'acquitta sans faiblir pendant plusieurs mois.

Mais un matin, apercevant un étranger solitaire, et comme c'était la première fois qu'elle voyait quelqu'un autour des falaises depuis que Diairmaid et Grania s'étaient réfugiés dans les grottes, elle oublia sa promesse et décida d'aller parler au cavalier pour savoir qui il était. C'était Finn. Ce dernier avait pris soin de mettre son pouce dans sa bouche avant d'arriver près de la vieille et, ainsi, il avait découvert qu'elle veillait sur les fugitifs. Alors, pour l'amadouer et la tromper, Finn dit à la femme qu'il lui offrait de faire d'elle son épouse, et donc la reine des Fianna, si elle acceptait ses conditions. La pauvre vieille n'en crut pas ses oreilles. Il y avait si longtemps qu'elle vivait isolée dans ces terres désolées qu'elle n'hésita pas un instant et promit à Finn tout ce qu'il voulait.

– Je te demande simplement de retenir le plus longtemps possible l'homme et la femme qui vivent dans la grotte près de chez toi, le temps que je m'approche. Je ne veux pas qu'ils prennent peur et s'enfuient, car j'ai besoin d'eux.

Tout heureux, Finn retourna auprès de ses guerriers et fit cerner l'endroit afin d'empêcher Diairmaid et Grania de lui échapper encore une fois.

La vieille de son côté se hâta d'aller plonger son manteau dans un amas de sel en bordure de mer pour bien le blanchir. Puis, faisant semblant d'être transie de froid, elle pénétra dans la grotte où le couple s'était installé.

– Que se passe-t-il? s'étonna Diairmaid en la voyant trembler de tous ses membres.

– Oh, je n'ai jamais vu un froid si intense si tôt en saison, répliqua la femme en venant se placer auprès du feu pour y réchauffer ses vieux membres. Regarde, mon manteau est pris de frimas. Et elle le secoua. Le gel s'est répandu dans les collines et les rochers. On ne trouve plus rien à manger… Je vous conseille de rester bien au chaud pendant quelques jours.

Puis, la vieille, sans doute prise de peur devant le mensonge éhonté qu'elle venait de proférer, se hâta de regagner sa propre grotte en oubliant son manteau près du feu. Grania le ramassa pour aller le lui rendre lorsqu'elle se rendit compte qu'il n'était pas mouillé par des flocons de neige, mais raidi par le sel.

– Diairmaid, vite! La vieille a menti. Je crains le pire! Fuyons.

Le guerrier ramassa ses armes et, précédant Grania, il osa faire un pas en dehors de son refuge. Sur le sol, il n'y avait pas la moindre trace de neige; au contraire, le soleil brillait et il faisait plutôt doux pour la saison. Puis, son regard tomba sur une silhouette qu'il ne connaissait que trop bien. C'était Finn qui s'élançait dans les rochers.

– La fuite par la plaine est impossible, répondit-il à Grania, cachée derrière lui.

– Regarde! l'interrompit la jeune femme. Là, sur la plage, en contrebas, il y a un bateau. C'est notre seule chance de salut.

Grania et Diairmaid se précipitèrent vers la plage par un étroit et raide sentier qui courait vers le bas de la falaise. À plusieurs reprises, ils faillirent se rompre le cou, les rochers étant glissants et la pente, très abrupte. Mais, finalement, ils parvinrent devant le bateau dont un homme était en train de débarquer.

– C'est Mac Oc, mon père! s'exclama le jeune guerrier.

– Vite, embarquez! lança le Jeune Soleil à son fils tout en saisissant la main de Grania pour l'aider à se hisser dans l'embarcation.

– Non! répondit Diairmaid. Moi, je dois aller parler à Finn et aux Fianna. Je ne peux pas passer indéfiniment pour un lâche à leurs yeux. Nous devons avoir une véritable explication.

– Si tu y vas, tu n'auras pas le temps de prononcer un seul mot. Finn te coupera la tête avant que tes lèvres ne laissent passer le moindre son.

– Prends Grania et mets-la à l'abri. N'aie crainte pour moi. Je saurai me défendre! s'entêta Diairmaid.

Encore une fois. Mac Oc usa de son manteau magique pour envelopper Grania et la transporter en lieu sûr, à bord de son bateau qui s'éloigna aussitôt de la rive. Il était temps, car déjà Finn et ses Fianna déboulaient sur la plage en hurlant de fureur. Le chef de l'Ordre des chevaliers des Quatre Royaumes s'arrêta devant son ancien compagnon et le menaça de son arme.

– Te voilà enfin, Diairmaid. Traître à ton roi. Je vais te faire payer la honte que tu m'as fait subir devant tous les hommes d'Ériu.

– Si je suis resté sur cette plage, c'est pour te parler, Finn. J'aurais pu m'enfuir. Mais tu dois m'écouter. Je ne suis coupable de rien, si ce n'est de n'avoir pu contrevenir à deux geis que Grania a prononcées contre moi. Je le prouverai en te combattant.

– Prépare-toi à mourir, scélérat !

– La mort ne m'a jamais fait peur, Finn. Souviens-toi que je me suis battu pour toi pendant des années. Si tu me tues aujourd'hui sans me laisser m'expliquer, alors les Fianna et toi, vous vous couvrirez de déshonneur.

– Il a raison, intervint Oscar. Il faut le laisser tranquille. Il est temps de lui pardonner et de vous réconcilier.

– Jamais ! hurla Finn en levant son épée.

Mais Oscar plaça sa propre lame en travers de celle du roi des Fianna.

– Je te le répète, Finn, même si tu es mon grand-père et le roi des Fianna, tu me trouveras sur ton chemin si tu touches un seul cheveu de Diairmaid. Il est désormais sous ma protection.

Ossian, Cailté et Conan le Chauve vinrent également se placer près de Diairmaid et prononcèrent le même discours qu'Oscar. Ils racontèrent comment le fils de Mac Oc s'était montré valeureux au combat pour aider les Fianna à vaincre leurs ennemis et défendre les côtes d'Ériu pendant de nombreuses années. Mais plus ils se portaient à la défense de Diairmaid, plus leurs paroles rendaient fou leur roi. Alors, Finn écarta Oscar d'un revers de la main en plein visage et se précipita sur Diairmaid. Au moment où son épée allait passer à travers du corps du jeune homme, celui-ci disparut. Volatilisé.

La raison en était l'intervention mira-culeuse de Mac Oc. En tant que dieu, le Jeune Soleil savait très bien ce qui allait se passer. Aussi, après avoir mis Grania à l'abri, il était revenu pour sauver son fils d'une mort certaine. En l'enveloppant dans son manteau magique, il était parvenu à le subtiliser au nez et à la barbe de Finn.

Une fois que Diairmaid fut à l'abri dans le bateau, Mac Oc s'adressa au jeune couple.

– Il existe un seul endroit où vous serez en sécurité : il s'appelle Cnoc na Ri. Lorsque les Fils de Milé ont chassé les Tribus de Dana et nous ont forcés à trouver refuge sous terre, l'un d'entre nous était chargé de transporter des graines d'un arbre merveilleux qui ne pousse que dans l'île des Promesses. Par mégarde, une baie est tombée dans le Cnoc na Ri et un plant a poussé. Nul n'a le droit de manger les fruits de cet arbre, et encore moins les Fils de Milé. Ils sont réservés au Festin d'immortalité des Tribus de Dana. Pour éviter que les Gaëls essaient de s'en procurer, nous avons demandé à un Fomoré de garder l'endroit. Il est redoutable et personne n'osera le défier. Il s'appelle Searbhan. C'est un géant horrible, féroce, visqueux, borgne et doté d'une force formidable. Je vais conclure un accord avec Searbhan pour qu'il vous accueille et vous protège, mais vous ne devrez jamais goûter aux fruits de l'arbre merveilleux.

Les deux fuyards promirent de respecter l'interdit de Mac Oc et ce dernier les transporta aussitôt à Cnoc na Ri. Enfin, ils purent mener une vie calme et heureuse, et ils eurent quatre fils qui grandirent en beauté et en sagesse.

– Ah! soupira Celtina, interrompant l'enfant oracle. Je suis heureuse pour eux. Ils ont bien mérité de vivre en paix.

– L'histoire n'est pas finie, ajouta le jeune Ossian, car la haine de Finn n'a pas de limite. Dans sa jeunesse, dans le domaine de la Brug na Boyne*, le domaine de Mac Oc dans le Síd, Diairmaid a malencontreusement tué un compagnon de jeu pendant une partie de chasse. Le père de l'enfant, un dieu mineur des Tribus de Dana, a réussi, grâce à sa magie, à rendre la vie à son fils, mais sous l'aspect d'un sanglier robuste et farouche qui s'est aussitôt enfui à la surface d'Ériu pour trouver refuge à Ben Bulben, un endroit dont le sanglier a pris le nom.

Pour punir Diairmaid, le père de l'enfant tué a prononcé contre lui une incantation : Diairmaid ne pourra vivre que tant que vivra l'animal, pas un jour de plus. Par ailleurs, la prophétie dit aussi que Diairmaid sera tué par le sanglier de Ben Bulben. Le père a imposé une autre geis à Diairmaid. Dès que ce dernier entend l'appel d'un chien pour la chasse, il doit impérativement se joindre au groupe de chasseurs. Apprenant cela, Mac Oc a tenté d'amoindrir le tabou pour sauver son fils et a interdit à Diairmaid de participer à la moindre chasse au sanglier.

Celtina ne prononça pas un mot, mais elle pressentait maintenant le pire. Ossian poursuivit son récit.

Finn était au courant de toutes les geis qui pesaient sur Diairmaid. Alors, il invita les Fianna à une grande chasse, dans les parages de Cnoc na Ri. Il s'arrangea pour lever un chevreuil et envoya Foghaid, l'un de ses chiens, contre l'animal. Le limier se mit à aboyer et Diairmaid l'entendit.

– On dirait qu'un chien de chasse est à la poursuite d'un animal, dit-il à Grania. Je dois absolument me joindre aux chasseurs…

– Non, le supplia Grania. C'est un piège.

– Je ne peux pas contrer ma geis, Grania, sinon je tomberai mort à tes pieds. Je dois y aller.

Le jeune guerrier prit ses armes, son épée, sa lance, ses deux javelots et gagna la forêt où Foghaid traquait le chevreuil. Tout à coup, au moment où il contournait un groupe d'arbres, il tomba face à face avec Finn et quelques-uns de ses hommes, dont Ossian, Oscar et Cailté. Finn lui sourit et baissa son arc.

– Bienvenue à toi, Diairmaid, fils de Mac Oc, lança le vieux roi d'une voix claire et sûre. Puisque tu viens en ami, alors joins-toi à nous ! Faisons la paix durant le temps de cette chasse. Je te promets qu'ensuite tu seras libre de te rendre dans l'endroit de ton choix.

Éberlué, Diairmaid ne sut que répondre. Déjà, il était entouré de ses amis. Ossian, Oscar, Cailté et Conan le Chauve lui donnèrent l'accolade et de grandes bourrades dans le dos. Il accepta donc l'invitation de Finn et se joignit aux chasseurs.

La chasse se déroula fort bien. Les Fianna levèrent un gibier abondant et varié. Mais bientôt leurs pas les menèrent sur la colline de Ben Bulben.

– Nous avons beaucoup de chance aujourd'hui, s'exclama Finn, tout joyeux. Je suis certain que nous pourrons attraper le sanglier de Ben Bulben sans problème. Viens avec nous, Diairmaid.

Le fils de Mac Oc était bien embêté, car s'il lui était interdit de chasser le sanglier, il lui était aussi interdit de refuser une invitation à prendre du gibier. Il était coincé. Il décida donc d'accompagner Finn et les Fianna sur la colline, tout en cherchant un moyen de se soustraire à cette obligation.

Malheureusement, il n'eut pas le temps de trouver un prétexte pour fausser compagnie aux chasseurs. À peine arrivés sur la colline, les chiens débusquèrent le redoutable sanglier. Rendue folle furieuse par les aboiements, la bête chargea hommes et limiers. Elle fit un carnage parmi les chiens et les chevaux. Ses défenses étaient d'une longueur impressionnante et ses crocs, aigus comme des dards. Les yeux injectés de sang, le sanglier fonça droit devant lui, directement sur Diairmaid. Le jeune homme projeta sa lance, un cadeau de Mac Oc. Celle-ci heurta un arbre, ricocha sur l'animal et se brisa en blessant la bête. Alors, vif comme l'éclair, le demi-dieu bondit vers le sanglier et, sortant son poignard, il lui en asséna un coup terrible à la gorge pour l'achever. Les exclamations de joie et d'admiration fusèrent des rangs des Fianna. Tous reconnaissaient que Diairmaid avait toujours été un redoutable chasseur, le meilleur d'entre eux. Dans son coin, par contre, Finn fulminait de constater que Diairmaid avait survécu au sanglier malgré la prophétie. Mais il ne voulait pas laisser voir la rage qui avait envahi son cœur, alors, d'une voix sournoise, il suggéra :

– Tu devrais mesurer la taille de ce sanglier… Les bardes pourront alors vanter tes exploits en donnant tous les détails de ta chasse pendant les siècles à venir.

Diairmaid se dirigea vers l'animal, conscient qu'il devait se méfier, car ses longues soies étaient empoisonnées et quiconque était piqué en mourait dans d'atroces souffrances. Il s'avança, mais Finn malicieusement se plaça entre lui et l'animal, forçant le fils de Mac Oc à passer sur un amas de mousse. Le jeune homme glissa et tomba tout près du sanglier ; une longue soie le perça. Foudroyé par le poison, Diairmaid s'écroula.

– Par Hafgan ! hurla Cailté en se précipitant au chevet de son ami. Finn, fais quelque chose. Sauve-le ! Rappelle-toi, une bansidh t'a donné le pouvoir de sauver un blessé en lui donnant à boire de l'eau puisée dans le creux de tes mains au cœur d'une source claire*.

– Il n'y a pas de source claire ici ! s'entêta Finn.

– C'est faux. À dix pas derrière toi s'écoule l'eau la plus pure du monde. Va en chercher. Dépêche-toi ! le pressa Oscar. Pour l'amour de ta famille.

– Non! trancha Finn, les yeux rétrécis en deux fentes mauvaises.

– Roi des Fianna, soupira faiblement Diairmaid. Souviens-toi de notre amitié d'autrefois, des combats que nous avons menés ensemble. Je t'ai même déjà sauvé la vie. Je t'en prie, donne-moi à boire dans tes mains.

– Si tu ne le fais pas, père, c'est toi qui seras déshonoré, intervint Ossian.

Tous les regards de ses hommes étaient fixés sur lui. Ossian disait vrai, s'il refusait encore, il sentait bien que tous l'abandonneraient. Alors, les narines frémissantes de fureur contenue, Finn se dirigea vers la source. Il puisa de l'eau entre ses paumes et revint lentement vers le lieu où Diairmaid agonisait. Mais à mi-chemin, le chef de l'Ordre des chevaliers des Quatre Royaumes desserra légèrement les doigts et le précieux liquide se vida sur le sol.

– Qu'as-tu fait? vociféra Oscar.

– L'arthrite ronge mes articulations, mentit Finn. Je ne parviens pas à garder les mains fermées…

– Retournes-y! ordonna Ossian.

Finn retourna vers la source, s'emplit les mains et revint. Mais l'image de Grania passa devant ses yeux remplis de fureur et, une fois encore, il desserra les doigts en affichant un sourire de satisfaction.

– Si tu ne rapportes pas cette eau à Diairmaid, le menaça Ossian en dégainant son épée, je te tranche la tête, bien que tu sois mon père et mon roi.

Maintenant, les Fianna étaient indignés du comportement de leur roi et des murmures montaient des gorges de la centaine de guerriers rassemblés. Accompagné d'Ossian qui ne cessait de le menacer, Finn se traîna les pieds jusqu'à la source et y puisa de l'eau. Cette fois, il la ramena sans en laisser échapper une goutte jusqu'au mourant, mais il était trop tard. Diairmaid venait de rendre l'âme.

Alors, Ossian retira la cape qui recouvrait les épaules de Diairmaid et l'attacha sur le dos de Bran, l'un des deux chiens de Finn.

– Va porter ce manteau à Grania! ordonna le fils de Finn.

– Non! cria le roi en tentant d'arracher le manteau du dos du chien.

Mais Bran fut le plus rapide et il s'élança vers l'endroit où Grania, anxieuse, attendait le retour du père de ses enfants.

Lorsqu'elle vit le manteau et reconnut Bran, Grania comprit que le pire était arrivé. Elle demanda au chien de la conduire à l'endroit où gisait Diairmaid. Les Fianna avaient érigé un tertre de pierres sur la dépouille et avaient quitté les lieux, car Finn redoutait une vengeance des Tribus de Dana.

Grania tomba à genoux sur la tombe de Diairmaid et pleura toutes les larmes de son corps.

– Ne pleure pas ! l'interpella Mac Oc. Car si je ne peux pas rendre la vie à mon fils pour qu'il vive ici près de toi dans le monde des Gaëls, je peux, par contre, insuffler une nouvelle âme dans son corps. Elle le rendra immortel dans le Síd, à condition qu'il n'en sorte jamais.

Le visage défait, les yeux rougis de larmes, les mains tordues de douleur, Grania hocha la tête et se tourna lentement vers le Jeune Soleil.

– Pour ma part, sur son corps qui repose sous ces pierres, je le jure, je vais envoyer ses fils auprès de Scatach la guerrière pour qu'elle les forme au métier des armes et qu'ils puissent ainsi venger le lâche assassinat de leur père.

– Quelle tragédie ! C'est terrible ! s'écria Celtina. Quel horrible destin ! Que puis-je faire pour empêcher que cela arrive ?

– Réfléchis bien, Celtina ! lui répondit Malaen. As-tu le droit d'intervenir dans la vie des autres ? Si tel est son krwi, peu importent les moyens que tu mettras en œuvre pour l'en détourner, il en trouvera d'autres pour le réaliser.

– Tu l'as dit toi-même, Malaen, rien n'est jamais définitif. Je finirai bien par trouver une façon ou une autre de détourner Diairmaid de cette regrettable partie de hurling qui l'a mis en présence de la fille de Cormac. Et alors rien de ce qu'a prédit Ossian n'arrivera.

– Nous verrons bien ! Mais pour le moment, tu as une décision plus immédiate à prendre.

Que faire du gamin? l'interrogea Malaen tandis que le jeune garçon émergeait peu à peu de sa transe divinatoire.

– Il vient avec nous à la forteresse de Ra. Nous le confierons aux Trois Déesses. Elles veilleront sur lui jusqu'à ce qu'il soit assez âgé pour retourner à Ériu et se faire reconnaître par son père. Mais, auparavant, je dois lui faire boire la potion de l'oubli. Il ne doit pas se souvenir de ses visions avant d'être en âge de bien les comprendre. Ossian doit grandir sans que sa connaissance de l'avenir vienne interférer dans sa vie et celle de ses futurs compagnons au sein des Fianna.

Lexique

Chapitre 1

Castrexo : voir tome 5, *Les Fils de Milé*

Érémon : voir tome 5, *Les Fils de Milé*, et le tome 6, *Le Chaudron de Dagda*

Leurre (un) : piège, tromperie

Pitance (une) : nourriture

Tricéphale (adj.) : qui a trois têtes

Chapitre 2

Bruxa : voir tome 5, *Les Fils de Milé*

Casseur d'os : oiseau de proie, gypaète barbu

Cirque (un) : dépression du sol d'origine glaciaire

Entrelacs (toujours au pluriel) : ornement composé de motifs entrelacés

Fumerolle (une, le plus souvent au pluriel) : voir tome 4, *La Lance de Lug*

Gueule-de-loup (une) : plante vivace aussi appelée muflier

Isard (un) : chamois vivant dans les Pyrénées

Ith et Éranann : voir tome 5, *Les Fils de Milé*

Makila ou makhila (une) : bâton de marche, voir tome 5, *Les Fils de Milé*

Chapitre 3
Cavernicole (adj.) : qui vit dans les cavernes
Cromlech (un) : cercle de pierres levées
Leuca : ancienne mesure gauloise équivalant à 2 500 mètres
Séant (un) : les fesses, le derrière

Chapitre 4
Casse-tête (un) : gourdin, massue
Chaton (un) : la pierre d'une bague
Exhalaison (une) : odeur qui émane de quelque chose
Relent (un) : mauvaise odeur qui persiste
Sotiates (les) : voir tome 5, *Les Fils de Milé*

Chapitre 5
Belenountia : herbe du sommeil, nom gaulois de la jusquiame, une plante utilisée dans la fabrication d'un sérum de vérité
Manannân : voir tome 1, *La Terre des Promesses*
Tunna : mesure gauloise (tonne) dont dérive aussi le mot tonneau
Zénith (un) : point dans le ciel à la verticale de celui qui l'observe

Chapitre 7
Client (un) : peuple placé sous la protection d'un autre
Faire amende honorable : reconnaître ses torts
Ne pas être dupe : ne pas être naïf
Pas : mesure romaine équivalent à 75 cm environ

CHAPITRE 8
Calame (un): roseau taillé en pointe servant à écrire

CHAPITRE 9
Cerridwen: voir tome 6, *Le Chaudron de Dagda*
Gallo-romaine: issue du contact entre les Gaulois et les Romains
Gemme (une): pierre précieuse
Krwi: mot celte désignant le destin ou le karma
Trouver le gîte et le couvert: expression signifiant trouver une maison pour dormir et une table pour y manger

CHAPITRE 10
Alban Efin: le 21 juin, le solstice d'été
Braies (toujours au pluriel): pantalon gaulois
Cardo: axe principal nord-sud d'une ville gallo-romaine (d'où dérive l'expression « points cardinaux »)
Déifiée (adj.): adorée comme un dieu
Édile (un): magistrat d'une grande ville
Garrigue (une): du gaulois *guarric*, terrain aride et calcaire du sud de la France
Horreum: entrepôt romain
Île sacrée de Mona: voir tome 1, *La Terre des Promesses*
Kalendis Juniis: calendes de juin
Lait caillé: lait coagulé, tourné
Ligure: ancien peuple des côtes de la Méditerranée, vers le VIe siècle avant J.-C.

Simivisonna: nom gaulois du mois de juin, le milieu du printemps

Chapitre 11

Aicmí: pluriel d'aicme, famille de cinq lettres

Feda: lettre celtique (voir l'alphabet oghamique ci-dessous)

Mnémotechnique (adj.): moyen qui associe des images à des mots ou à des lettres pour mieux les retenir

Ogham (un): encoche servant à désigner des sons ou des lettres dans l'écriture celtique

Ollamh (un): mot gaélique qui désigne les plus grands des savants

Orna, l'épée magique de Téthra: voir tome 3, *L'Épée de Nuada*

Putrescible (adj.): biodégradable

Chapitre 12

Druide Noir: voir tome 7, *La Chaussée des Géants*

Chapitre 13

Aël, l'elfe de l'Enfance: voir tome 7, *La Chaussée des Géants*

Caman: crosse de bois utilisée pour le hurling

Hurling: jeu celtique, ancêtre du hockey

Sliothar: balle de cuir utilisée pour le hurling

Chapitre 14

Saumon de la Connaissance: voir tome 7, *La Chaussée des Géants*

CHAPITRE 15

Brug na Boyne: voir tome 7, *La Chaussée des Géants*

Source claire: voir tome 7, *La Chaussée des Géants*

ALPHABET DES OGHAMS
ET ARBRES CORRESPONDANTS

LES FEDA,
DIVISÉES EN QUATRE AICMÍ (FAMILLES)

Aicme Beithe
B: *beith*, bouleau
L: *luis*, sorbier
F: *fearn*, aulne
S: *saile*, saule
N: *nion*, frêne

Aicme Húath
H: *úath*, aubépine
D: *duir*, chêne
T: *tinne*, houx
C: *coll*, coudrier ou noisetier
K ou Q: *quert*, pommier

Aicme Muine
M: *muin*, vigne
G: *gort*, lierre
NG: *ngetal*, roseau
Z: *straif*, prunellier
R: *ruis*, sureau

Aicme Ailme
A : *ailm*, épicéa
E : *edad*, peuplier
I : *idad*, if
O : *onn*, ajonc
U : *úr*, bruyère

Lettres ajoutées à l'alphabet de base
Kh : *ebad*, tremble
P : *iphin*, groseille à maquereau
Ph : *uileand*, chèvrefeuille
Th : *oir*, fusain
X : *phagos*, hêtre

Personnages issus de la mythologie celtique (Bretagne, Cornouailles, Écosse, Galice, Gaule, Irlande, Pays de Galles)

Aceio : une hada des Pyrénées
Akelarre : lande de bouc et nom de la cérémonie des sorciers et sorcières des Pyrénées
Amorgen : druide des Fils de Milé ou Gaëls
Ankou : la Mort
Arawn : le maître des morts du Síd
Artabros : les habitants de Kallaikoi (Galice, Espagne)
Bélénos : surnommé « le brillant », dieu du Renouveau
Bran et Scolan : les deux neveux de Finn, transformés en chiens
Breogán : le roi des Artabros de Kallaikoi
Caer : une bansidh, mère de Diairmaid

Cailté aux Longues Jambes: un Fianna, du clan de Ronan

Camars: déesse ligure qui a donné son nom à la Camargue

Cernunos: dieu tricéphale à tête de cerf, accompagné d'un serpent à tête de bélier

Conan le Chauve: un Fianna du clan de Morna

Cuan: le chef des Fianna de Mhumhain

Dagda: le Dieu Bon

Diairmaid: le fils de Mac Oc et de Caer

Einigan: un druide gallois

Épona: la déesse des Cavaliers et des Chevaux

Érémon: le premier roi des Gaëls

Fergor: le crieur des Fianna

Fils de Milé ou Gaëls: les nouveaux habitants d'Ériu

Finn: le roi des Fianna

Glore à la Voix sourde: le chef des Fianna d'Ulaidh

Goibniu: le dieu-forgeron

Grania: la jeune épouse de Finn, la compagne de fuite de Diairmaid

Grannus: le Soleil

Ith: un des fils de Breogán

La Compaña: la procession des âmes

Lug: dieu de la Lumière, il a confié Luinn, sa lance magique, à Celtina

Mac Oc: le Jeune Soleil, un Thuatha Dé Danann, père de Diairmaid

Menw: un jeune druide gallois

Millaris: un berger qui, selon la légende, a provoqué la première chute de neige sur les Pyrénées

Navin: un Fianna du clan de Navin, un pisteur
Ner: le dieu protecteur de Narbo
Nuada: il a confié son épée Caladbolg (l'épée de Lumière) à Celtina
Ogme: le dieu de l'Éloquence, le frère de Dagda
Oscar: le petit-fils de Finn, le fils d'Ossian, un Fianna du clan des Baiscné
Ossian: surnommé Petit Faon, le fils de Finn, un Fianna du clan des Baiscné

DIEUX ROMAINS

Cybèle: déesse de la Nature sauvage
Janus: dieu ayant deux visages, gardien des passages et des croisements
Junon: déesse du Ciel, reine des dieux, sœur et épouse de Jupiter
Jupiter: dieu romain du Ciel, père de tous les dieux

PERSONNAGES AYANT EXISTÉ

Aulus Hirtius: le secrétaire particulier de César
Caïus Trébonius: un lieutenant de César
Carvilios, Cingétorix, Ségovax et Taximagulos: les quatre rois des Cantiaci de l'île de Bretagne
Cassivellaunos: le roi des Catuvellaunes
Casticus: un chef de guerre des Séquanes
Cingétorix: le gendre d'Indutionmare des Trévires
Diviciacos: le druide des Éduens et le plus fidèle allié de César en Gaule. Il est le frère de Dumnorix
Dumnorix: l'ancien vergobret des Éduens, assassiné sur l'ordre de César
Indutionmare: roi des Trévires

Jules César: général romain

Licinius: esclave gaulois de César. Affranchi, il deviendra procurateur de la Gaule

Lucius Aurunculeius Cotta: lieutenant de César

Lugotorix: chef de guerre des Catuvellaunes

Mandubracios: jeune roi des Trinovantes

Orgétorix: un chef de guerre des Helvètes

Publius Licinius Crassus: un lieutenant de César

Publius Sulpicius Rufus: commandant de Portus Itius

Quintus Atrius: commandant du camp de base de César dans l'île de Bretagne

Titus Pullo: un centurion de Jules César

PEUPLES ET LIEUX AYANT EXISTÉ

An Mhí: La Terre du Milieu, comté de Meath (république d'Irlande)

Ancalites: peuple celte de l'île de Bretagne, établi dans l'estuaire de la Tamise (Grande-Bretagne)

Aquae Sextae: Aix-en-Provence (Bouches-du-Rhône, France)

Arduina: forêt des Ardennes (France-Belgique)

Atacos: nom gaulois de l'Aude, fleuve du Languedoc-Roussillon (France)

Beterris: capitale des Volques Beterri, Béziers (France)

Bibracte: capitale des Éduens, Saint-Léger-sous-Beuvray (Saône-et-Loire, France)

Bibroques: peuple celte de l'île de Bretagne, établi dans l'estuaire de la Tamise (Grande-Bretagne)

Briga: La Corogne (A Coruña, Galice, Espagne)

Calédonie: l'Écosse

Carcasso: le Gros Rocher du Guerrier (Carcassonne, France)

Casses: peuple celte de l'île de Bretagne, établi dans l'estuaire de la Tamise (Grande-Bretagne)

Catuvellaunes: peuple celte de l'île de Bretagne (Herefordshire, Angleterre)

Cénimagnes: peuple celte de l'île de Bretagne, établi dans l'estuaire de la Tamise (Grande-Bretagne)

Cercle des Pierres suspendues: Stonehenge (Angleterre)

Cnoc na Ri: Knockarea (comté de Sligo, ouest de la république d'Irlande)

Côtes de la Mort: Finisterre (Galice, Espagne)

Cymru: Pays de Galles (Royaume-Uni)

Duroverno: Durovernum Cantiacorum en latin, oppidum des Cantiaci (Canterbury, Kent, Royaume-Uni)

Eaux Mortes (Les): Aigues-Mortes (Gard, France)

Élysiques: ancien peuple du sud-est de la France

Ériu: l'île Verte, l'Irlande

Gaule: France

Helvètes: tribu celte de Suisse

Île de Bretagne: Royaume-Uni

Insula Kauco: île Sainte-Lucie, Narbonne (France)

Kallaikoi: Galice (Espagne)

Kernow: Cornouailles (Royaume-Uni)

Laighean: Leinster (république d'Irlande)

Lande du bouc: Akelarre (Pays basque, France)

Leuques: tribu gauloise des Vosges, sud de la Lorraine (France)

Meldes: peuple gaulois de l'Île-de-France, de la région de Meaux (Seine-et-Marne, France)

Mer de Bretagne: Mor-Breizh pour les Celtes (la Manche)

Minho: région celte du sud-ouest du Portugal

Mona: île d'Anglesey (Royaume-Uni)

Montispastell: la colline au pastel, Montpellier (Hérault, France)

Narbo: la cité de la source jaillissante, capitale des Tectosages, Narbonne (Aude, France)

Orobis: l'Orb, rivière traversant Béziers

Portus Itius: nom latin du port morin de Bononia (Boulogne-sur-Mer, France)

Ra, la forteresse des Trois Déesses: les Saintes-Maries-de-la-Mer (Bouches-du-Rhône, France)

Rhodanus: nom latin du Rhône, fleuve (France)

Sauconna: nom gaulois de la Saône, fleuve (France)

Seg: la colline en forme d'éperon, Sète (Hérault, France)

Ségontiaques: peuple celte de l'île de Bretagne, établi dans l'estuaire de la Tamise (Grande-Bretagne)

Séquanes: important peuple gaulois (Franche-Comté, France)

Sinn Ann: le Shannon, fleuve d'Irlande

Tara: Hill of Tara, comté de Meath (république d'Irlande)

Tectosages: peuple gaulois dont le nom signifie « Ceux qui cherchent un toit »; il s'est établi dans la région de Toulouse (Haute-Garonne, France)

Tory: l'île du Brouillard, le pays des Fomoré, Oileán Toraigh (Irlande du Nord)

Trévires : peuple belge de la région du Grand-Duché de Luxembourg et de la Basse-Moselle (Allemagne)

Treviris : la capitale des Trévires, Trèves (Rhénanie-Palatinat, Allemagne)

Trinovantes : peuple celte de l'île de Bretagne d'origine belge, Sussex et Suffolk (Grande-Bretagne)

Ulaidh : Ulster (Irlande du Nord)

Volques Arécomiques : peuple gaulois de la région de Nîmes (Gard, France)

PERSONNAGES INVENTÉS

Afons : Alphonse, le batelier de Narbo, le frère de Mirèio

Arzhel : ancien élève de Mona

Aulus Ninus Virius : un soldat romain, fils de Titus Ninus Virius

Celtina : du clan du Héron, ancienne élève de Mona, l'Élue

Gildas à la Belle Chevelure : ancien élève de Mona, de la tribu des Bigerri

Harbelex : un druide campani

Kàerell : la petite sœur de Gildas, surnommée Petite Belette

Maève : la grande prophétesse de l'île de Mona

Malaen : le cheval tarpan de Celtina

Mirèio : Mireille, la marchande de Narbonne

Tifenn : ancienne élève de Mona, de la tribu des Volques Arécomiques